普通高等教育“十一五”国家级规划教材

北大版对外汉语教材·基础教程系列

Boya Chinese

博雅汉语

初级 起步篇 Ⅱ

李晓琪 主编
徐晶凝 任雪梅 编著

图书在版编目(CIP)数据

博雅汉语——初级·起步篇Ⅱ/李晓琪主编. —北京：北京大学出版社，2005.2
(北大版新一代对外汉语教材·基础教程系列)
ISBN 978-7-301-07861-7

Ⅰ.博… Ⅱ.李… Ⅲ.汉语-对外汉语教学-教材 Ⅳ.H195.4

中国版本图书馆CIP数据核字(2005)第005611号

书　　名：博雅汉语——初级·起步篇Ⅱ
著作责任者：李晓琪　主编
责 任 编 辑：吕幼筠
标 准 书 号：ISBN 978-7-301-07861-7/H·1164
出 版 发 行：北京大学出版社
地　　址：北京市海淀区成府路205号　100871
网　　址：http://www.pup.cn
电　　话：邮购部62752015　发行部62750672　编辑部62752028　出版部62754962
电 子 邮 箱：lvyoujun99@yahoo.com.cn
印 刷 者：北京大学印刷厂
经 销 者：新华书店
787毫米×1092毫米　16开本　14.75印张　375千字
2005年2月第1版　2010年5月第11次印刷
印　　数：38001～44000册
定　　价：54.00元(附1张MP3)

目　录

前　言

语言是人类交流信息、沟通思想最直接的工具,是人们进行交往最便捷的桥梁。随着中国经济、社会的蓬勃发展,世界上学习汉语的人越来越多,对各类优秀汉语教材的需求也越来越迫切。为了满足各界人士对汉语教材的需求,北京大学一批长期从事对外汉语教学的优秀教师在多年积累的经验之上,以第二语言学习理论为指导,编写了这套新世纪汉语精品教材。

语言是工具,语言是桥梁,但语言更是人类文明发展的结晶。语言把社会发展的成果一一固化在自己的系统里。因此,语言不仅是文化的承载者,语言自身就是一种重要的文化。汉语,走过自己的漫长道路,更具有其独特深厚的文化积淀,她博大、她典雅,是人类最优秀的文化之一。正是基于这种认识,我们将本套教材定名为《博雅汉语》。

《博雅汉语》共分四个级别——初级、准中级、中级和高级。掌握一种语言,从开始学习到自由运用,要经历一个过程。我们把这一过程分解为起步——加速——冲刺——飞翔四个阶段,并把四个阶段的教材分别定名为《起步篇》(Ⅰ、Ⅱ)、《加速篇》(Ⅰ、Ⅱ)、《冲刺篇》(Ⅰ、Ⅱ)和《飞翔篇》(Ⅰ、Ⅱ、Ⅲ)。全套书共9本,既适用于本科的四个年级,也适用于处于不同阶段的长、短期汉语进修生。这是一套思路新、视野广,实用、好用的新汉语系列教材。我们期望学习者能够顺利地一步一步走过去,学完本套教材以后,可以实现在汉语文化的广阔天空中自由飞翔的目标。

第二语言的学习,在不同阶段有不同的学习目标和特点。《博雅汉语》四个阶段的编写既遵循汉语教材的一般性编写原则,也充分考虑到各阶段的特点,力求较好地体现各自的特色和目标。

起步篇

运用结构、情景、功能理论,以结构为纲,寓结构、功能于情景之中,重在学好语言基础知识,为"飞翔"做扎实的语言知识准备。

加速篇

运用功能、情景、结构理论,以功能为纲,重在训练学习者在各种不同情景中的语言交际能力,为"飞翔"做比较充分的语言功能积累。

冲刺篇

以话题理论为原则,为已经基本掌握了基础语言知识和交际功能的学习者提供经过精心选择的人类共同话题和反映中国传统与现实的话题,目的是在新的层次上加强对学习者运用特殊句型、常用词语和成段表达能力的培养,推动学习者自觉地进入"飞翔"阶段。

以语篇理论为原则,以内容深刻、语言优美的原文为范文,重在体现人文精神、突出人类共通文化,展现汉语篇章表达的丰富性和多样性,让学习者凭借本阶段的学习,最终能在汉语的天空中自由飞翔。

为实现上述目的,《博雅汉语》的编写者对四个阶段的每一具体环节都统筹考虑,合理设计。各阶段生词阶梯大约为1000、3000、5000和10000,前三阶段的语言点分别为基本覆盖甲级、涉及乙级——完成乙级,涉及丙级——完成丙级,兼顾丁级。飞翔篇的语言点已经超出了现有语法大纲的范畴。各阶段课文的长度也呈现递进原则:600字以内、1000字以内、1500—1800字、2000—2500字不等。学习完《博雅汉语》的四个不同阶段后,学习者的汉语水平可以分别达到HSK的3级、6级、8级和11级。此外全套教材还配有教师用书,为选用这套教材的教师最大可能地提供方便。

综观全套教材,有如下特点:

针对性:使用对象明确,不同阶段采取各具特点的编写理念。

趣味性:内容丰富,贴近学生生活,立足中国社会,放眼世界,突出人类共通文化;练习形式多样,版面活泼,色彩协调美观。

系统性:词汇、语言点、语篇内容及练习形式体现比较强的系统性,与HSK协调配套。

科学性:课文语料自然、严谨;语言点解释科学、简明;内容编排循序渐进;词语、句型注重重现率。

独创性:本套教材充分考虑汉语自身的特点,充分体现学生的学习心理与语言认知特点,充分吸收现有外语教材的编写经验,力求有所创新。

我们希望《博雅汉语》能够使每个准备学习汉语的学生都对汉语产生浓厚的兴趣;使每个已经开始学习汉语的学生都感到汉语并不难学。学习汉语实际上是一种轻松愉快的体验,只要付出,就可以快捷地掌握通往中国文化宝库的金钥匙。我们也希望从事对外汉语教学的教师都愿意使用《博雅汉语》,并与我们建立起密切的联系,通过我们的共同努力,使这套教材日臻完善。

我们祝愿所有使用这套教材的汉语学习者都能取得成功,在汉语的天地自由飞翔!

最后,我们还要特别感谢北京大学出版社的郭荔编审和其他同仁,谢谢他们的积极支持和辛勤劳动,谢谢他们为本套教材的出版所付出的心血和汗水!

李晓琪
2004年6月于勺园
E-mail: lixiaoqi@pku.edu.cn

编写说明

本教材是《博雅汉语》系列精读教材的初级部分——《起步》篇，Ⅰ册适合零起点的学生使用，Ⅱ册适合已经掌握500左右生词的学生使用。

为了适应初级水平学生的学习需求，针对初级阶段教学的特点，本教材的编写采用了以结构为纲，寓结构、功能于情景之中的编写原则，力求为学生以后的学习打下比较坚实的语言基础。在内容的编写与选取方面，突出实用性，力求场景的真实自然：Ⅰ册主要围绕着学生的学习和生活进行，选取了包括校园及其他与学生的日常生活密切相关的场景，以帮助学习者尽快适应日常生活和学习的需要；Ⅱ册则离开课堂走向社会，并在后一阶段选编了一些富有人文性或趣味性的小文章，以使学生的视野和活动更加丰富多彩，帮助他们逐渐使用汉语表达较为复杂的思想。

为贯通《博雅汉语》的总目标，培养学习者的语言交际能力，在全书文体的安排上，Ⅰ册课文全部采用对话体，并在练习中适当增加语篇训练的内容。Ⅱ册的前半部分，课文仍采用对话体，并加以少量的短文形式，后半部分则完全采用短文体，为学习者向准中级阶段过渡做充分的准备。

本教材共选取词语1200多个，基本涵盖了《汉语水平词汇等级标准大纲》中的甲级词语；语言点则穷尽了大纲中的甲级语言项目，并涉及部分乙级语言项目；篇章的最后长度达到了600字左右。

全书共有55课，上册30课，下册25课，每5课为一个单元，第5课为单元总结复习课，对前4课出现的语言点进行复习和总结，不再出现新的语言点。此外为了加强本书的实用性，在55课以外，我们设立了单独的语音部分，教师在教学中可以针对学生的实际情况灵活掌握，为教学提供了一定的选择空间。

练习的设计原则是帮助学生逐步提高汉语整体综合能力。在Ⅰ册，我们将练习分为语音练习、词汇练习、语言点练习及课文、篇章练习，此外还有单独的汉字练习部分。练习涉及到听说读写各种技能的训练，使学生从开始阶段就潜移默化地全方位地接受汉语的熏陶。在Ⅱ册，增加了阅读理解和成段表达练习。我们希望通过本书的学习，为学习者实现在汉语的天空中自由飞翔打下良好而坚实的基础，积蓄充足的能量和后劲。学生学完本套书以后，基本可以达到HSK的3级水平。

为了帮助使用本教材的老师更好地了解本书的编写原则及各课的目标，本教材还配备了教师手册。手册里所提供的教学操作步骤只是一个范例，教师完全可以根据自己的教学习惯及学生们的情况灵活使用。

本书的编写由两位老师合作完成，Ⅰ册前15课及汉字部分由任雪梅执笔，后15课及语音部分、各课的语音练习部分由徐晶凝执笔，任雪梅负责统稿。Ⅱ册前13课由任雪梅执笔，后12课由徐晶凝执笔，徐晶凝负责统稿。

在本书编写的过程中，得到了各方面的大力支持和帮助，主编李晓琪教授多次就教材的编写原则及许多细节问题和编者进行充分的沟通和讨论，出版社的吕幼筠老师也提出了很好的意见，付出了很多心血，在此一并表示诚挚的谢意！

本书Ⅰ册的英文翻译汤博文、刘翀，日文翻译荻幸旗，韩文翻译严恩庆；Ⅱ册英文翻译徐晶凝，日文翻译三谷直记，韩文翻译金俊尚；插图刘德辉，最后由胡双宝审订中文，沈岚审订英文，在此表示感谢。

我们希望使用本书的老师和学生朋友能够喜欢她，并能通过本书享受学习汉语的过程。我们也期待着来自您的宝贵意见。

编　者

2004年7月

使用说明

——致教师

本册教材在课文内容、练习形式上有一个难度逐步加强的进程，因而希望您在使用本教材时，能充分了解这一点，并在教学方法上有所变化。为了让您更清楚地了解我们的编写原则和目标，特做此使用说明。

本书共有5个单元，前3个单元(从31课到45课)基本上是以对话体和短文组成，虽然已经走出了校园，但基本上还是日常生活范围内的话题。后2个单元(从46课到55课)则完全是一些主题明确的完整短文，而且从内容上开始超越日常生活，走向哲理性或人文性。之所以这样处理，主要是为了照顾到学习者的汉语水平及学习需要：掌握500左右词汇和部分语法结构的学习者(相当于学完Ⅰ册)，汉语水平总的来说还比较低，一般只能比较自由地在日常生活范围内自我表达；而准备进入准中级水平的学习者，则应该及早做好语言能力及话题表达方面的准备。因此，我们在课文内容上做了这种承上启下的安排。

除了课文内容以外，在练习的形式上我们也有一些变化。

在前3个单元，每课都有一个汉字练习，主要是将新出现的和Ⅰ册已出现过的字形相似的汉字挑选出来，通过练习，提高学习者汉字认读的能力。因此，建议做该练习时最好采用集体练习的方式，事先请学生独自完成，然后集体讲解。也可以视学生的程度，适度地增加一些构词或词汇扩展方面的练习。此外，每课都有一个阅读短文，而且我们也设计了一些问题，一方面帮助学习者理解短文的内容，另一方面也帮助他们提高整体把握课文内容或细节的能力。这一部分的练习，您可以根据班上学生的情况，灵活决定取舍。

在后2个单元，我们取消了汉字认读练习，而增加了“听录音回答问题”和“根据课文内容填空”两个练习，这两个练习的目的，一是为了提高学生听读后即能整体把握课文内容的能力，一是帮助学生注意课文中出现的语言表达方面的细节：介词、连词、副词、补语或动词组配等，这些也是汉语学习中的难点所在，我们希望借助这样的反复刺激，能帮助学习者加快对这些语言形式的习得过程。

您在确认学生已经基本上掌握了生词的意义及用法并开始课文的学习之前，先让他们听一听随书附赠的CD，回答一下问题。然后，再让他们逐句读课文，核实答案是否正确或者答案在哪里。学完课文以后，可以让学习者一边读课文，一边做“根据课文内容填空”的练习，这样，既帮助他们重新阅读了一遍课文，又让他们注意到了可能被忽略的语言细节。这样一个循环过后，您不妨再让学生听一遍CD，看他们能听懂多少。

做这样的转变，刚开始的时候，您或您的学生可能会不习惯，但请您一定尽量做到这一点。当然，如果您的学生听力比较好，您在使用本教材初就可以使用这样的方法，要问的问题您可以自己设计,也可以参考我们教师手册里准备好的问题。只是这样的能力还不是我们要求学生必须一开始就要达到的。

在后2个单元,每课也有一个阅读短文,对那些很容易理解的短文,我们没有再设计练习题目,像前3个单元一样,您可以根据学生的情况灵活决定取舍。

词汇练习、语言点练习和成段表达练习,是全书一贯的练习项目,建议您一定把它们留做作业,或者当堂集体练习。

前3个单元的成段表达练习,基本上都与课文内容有紧密的关系,可以看做是把课文中的对话转化为成段表达;而后2个单元则希望学习者能将课文内容灵活地转变为对话体,并能就某话题引申下去,表达自我。做这些练习的时候,请您一定提醒学生尽量使用课文中出现过的生词或语言结构。

每课的学习需要5—6个课时,大概一个学期可以完成本教材。

更详细的使用说明,请您参看教师手册。

使用说明

——致学生

这本书一共有 5 个单元,前 3 个单元(从 31 课到 45 课)基本上是对话体和短文,虽然已经走出了校园,但基本上还是日常生活范围内的话题。后 2 个单元(从 46 课到 55 课)完全是短文,内容上开始走出日常生活,走向哲理性或人文性。之所以这样处理,主要是为了照顾到你的汉语水平及学习需要:你开始学习本书时,可能刚掌握 500 左右词汇和部分语法结构,总的来说,一般只能比较自由地在日常生活范围内自我表达;可是,当你学习到第 4 个单元的时候,你就得为进入准中级水平的学习做准备了,包括语言能力和话题表达两个方面。因此,我们在课文内容上做了这样的安排,希望你能适应并喜欢。

应该如何学习这本教材? 我们这里有一些建议,希望你能尽量按照要求去做。

最基本的学习顺序是:生词→课文→语言点→练习。

生词的意思和用法是学习生词时要特别注意的两个方面, 不要简单地认为汉语的词语和英语的对译词完全一样, 你应该认真地听老师如何给你做解释, 了解生词的确切含义。有一些词语在用法上有一些特别的地方,老师在授课时会一一告诉你,你最好认真地记下来。每一课都有一个关于词汇的练习,你一定要认真地做,它们可以帮助你复习学过的生词。学课文之前,你一定要确保已经基本上掌握了生词的意思和用法。

课文的学习分为两个部分:一是了解课文的内容,二是学习课文里出现的语言点。

能够流利地朗读课文是你必须具备的能力,除此之外,在前 3 个单元,我们还希望你跟老师一起学完课文之后,能够听懂 CD 上的录音。在后 2 个单元,我们则希望你在学习课文之前就能基本上听懂。如果不能做到,课余时间你自己一定要多听几遍 CD。

每一课都有关于语言点的练习和一个成段表达练习,老师会要求你来做这些练习,无论是作业,还是当堂集体练习,你都要认真地做,特别是语言点的练习,你一定要完全弄明白。做成段表达练习的时候,你应该记住:使用课文中出现过的生词或语言结构,越多越好。

前 3 个单元,每课都有一个汉字练习,目的是帮助你提高汉字认读的能力。如果你觉得自己在汉字认读方面还存在一些问题,你应该认真做一做这个练习,即使老师不特意要求你做。

在后 2 个单元,我们增加了“根据课文内容填空”这个练习,目的是帮助你注意课文中那些可能被你忽略的语言细节,特别是介词、连词的用法和让人头疼的补语。建议你在做这个练习的时候,尽量先不看书,实在做不出来的时候再从书里找答案。

另外,每课都有一个阅读短文,我们也设计了一些小问题。这是为了帮助你提高阅读能力，扩大词汇量，如果你觉得学习课文之外还有精力再学习这些补充材料，你可以好好利用它们。当然，如果你不能掌握它们也完全没有关系。

如果你基本上按照要求学习完本书，你的汉语水平将可以达到 HSK 的 3 级。

我们希望这个使用说明能对你有所帮助，我们也希望你能在学习这本书的过程中，体验到学习和进步的乐趣。

To the students

This book consists of five units; the previous three units (lesson 31 to lesson 45) are mostly dialogues and short passages. Except campus life, topics are based on daily life. The following two units (lesson 46 to lesson 55) are all short passages; the contents are more philosophical and literary. This design is to meet your studying needs according to your Chinese level: when you start to learn this book, you probably master about 500 vocabulary and some grammar knowledge, after finishing unit four, you might prepare for learning semi-intermediate Chinese, with emphasis on both language skill and expression skill on topics. Hope you can get used to the design and like it.

Here are some suggestions for learning this book; your collaboration is very much appreciated.

The basic learning sequence is: new words→text→language points→exercises.

The meaning and usage of new words are the two focal aspects. It is not literally translation between Chinese words and English interpretation. You have to listen to the paraphrase of teachers carefully for understanding the accurate annotation and special usages of new words.

There are two parts of learning texts: to understand the content of text, to learn language points.

Reading aloud the text smoothly is the expected ability. In addition, in the previous three units, you are expected to understand the recording of CD after studying, in the following two units, you are expected to understand the main idea before studing the text, however, if you cannot do it, you can listen more after class.

There are exercises on language points and expression exercises in paragraph for each lesson; the exercises on language points require your comprehension, and the expression exercises in paragraph require your comprehension of the words and language structure learned from the texts.

In the previous three units, there is a Chinese characters exercise for each lesson, aiming at training your skill of identifying Chinese characters. In the following two units, "Fill in the blanks according to texts" is added for emphasizing some language points such as usages of preposition, conjunction and complement. Looking to the textbook when doing this exercise is not recommended.

In addition, there is a reading exercise after each lesson; some questions are designed for improving your reading skill and expanding vocabulary. You can challenge the additional material if you successfully fulfilled the required learning tasks. However, this is not imperative.

If you can finish learning the book according to our suggestions, your Chinese can be expected to reach the three level of HSK. Hopefully this instruction can be helpful to you, and may you a great progress in your studies!

人物介绍

大卫:男,美国留学生。性格活泼开朗。

玛丽:女,加拿大留学生,大卫汉语班的同学。

李军:男,中国人,东方大学的学生。

张红:女,中国人,中华大学的学生。

安娜:女,留学生,玛丽的朋友。

中村:女,日本人,汉语进修生,玛丽的同屋。

略语表
Abbreviation

名—名词	N.—noun
动—动词	V.—verb
能愿—能愿动词	aux.v.—auxiliary verb
形—形容词	adj.—adjective
数—数词	num.—numeral
量—量词	m.—measure word
代—代词	pron.—pronoun
副—副词	adv.—adverb
介—介词	prep.—preposition
连—连词	conj.—conjunction
助—助词	part.—particle
叹—叹词	interj.—interjection
主语	S.—subject
宾语	O.—objectic

第三十一课 飞机晚点了

Dì-sānshíyī Kè Fēijī Wǎndiǎn le

(在飞机场)

玛　丽：李军，李军。

李　军：玛丽，是你呀。

玛　丽：你一进门我就看见你了。来接人？

李　军：对，来接我姐姐。她坐下午的飞机回北京。你呢？

玛　丽：我刚送我父母回国。

李　军：你父母来北京了？

玛　丽：对，他们在北京玩儿了三天，今天回国。你姐姐的航班几点到？

李　军：应该是两点半。奇怪，时间都过了，怎么飞机还没到？我去问问。（问服务员）请问，小姐，从泰国来的飞机到了吗？

服务员：我查一下儿，还没到。这次航班晚点了二十分钟。

玛丽的日记

8月30日　　星期一　　晴转阴

我父亲和母亲上星期来北京了，他们在北京玩儿了三天，他们很喜欢北京，打算以后有机会再来。今天下午他们回国。我去机场送他们。我父母的飞机是下午两点十分的，飞机正点起飞。在机场，我遇到了李军，他是来接姐姐的，可是，他姐姐的航班晚点了，李军等了差不多半个小时。

Mǎlì: Lǐ Jūn, Lǐ Jūn.

Lǐ Jūn: Mǎlì, shì nǐ ya.

Mǎlì: Nǐ yí jìn mén wǒ jiù kànjiàn nǐ le. Lái jiē rén?

Lǐ Jūn: Duì, lái jiē wǒ jiějie. Tā zuò xiàwǔ de fēijī huí Běijīng. Nǐ ne?

Mǎlì: Wǒ gāng sòng wǒ fùmǔ huí guó.

Lǐ Jūn: Nǐ fùmǔ lái Běijīng le?

Mǎlì: Duì, tāmen zài Běijīng wánrle sān tiān, jīntiān huí guó. Nǐ jiějie de hángbān jǐ diǎn dào?

Lǐ Jūn: Yīnggāi shì liǎng diǎn bàn. Qíguài, shíjiān dōu guò le, zěnme fēijī hái méi dào? Wǒ qù wènwen. (*wèn fúwùyuán*) Qǐng wèn, xiǎojiě, cóng Tàiguó lái de fēijī dàole ma?

Fúwùyuán: Wǒ chá yíxiàr, hái méi dào. Zhè cì hángbān wǎndiǎnle èrshí fēnzhōng.

Mǎlì de Rìjì

bā yuè sānshí rì *xīngqīyī* *qíng zhuǎn yīn*

Wǒ fùqin hé mǔqin shàng xīngqī lái Běijīng le, tāmen zài Běijīng wánrle sān tiān, tāmen hěn xǐhuan Běijīng, dǎsuan yǐhòu yǒu jīhuì zài lái. Jīntiān xiàwǔ tāmen huí guó, wǒ qù jīchǎng sòng tāmen. Wǒ fùmǔ de fēijī shì xiàwǔ liǎng diǎn shí fēn de, fēijī zhèngdiǎn qǐfēi. Zài jīchǎng, wǒ yùdàole Lǐ Jūn, tā shì lái jiē jiějie de, kěshì, tā jiějie de hángbān wǎndiǎn le, Lǐ Jūn děngle chàbuduō bàn ge xiǎoshí.

New Words and Expressions 生词语

1. 飞机	(名)	fēijī	airplane; plane
2. 晚点	(形)	wǎndiǎn	late; behind schedule
3. 进	(动)	jìn	enter; come in
4. 看见		kànjiàn	see; catch sight of
5. 接	(动)	jiē	meet; welcome;pick up
6. 送	(动)	sòng	see sb. off or out
7. 父母	(名)	fùmǔ	parents; father and mother
8. 回	(动)	huí	return; go back
9. 航班	(名)	hángbān	flight or voyage number
10. **奇怪**	(形)	qíguài	strange; odd
11. **查**	(动)	chá	check; look up

12. 次	（量）	cì	*measure word for train or airplane*
13. 日记	（名）	rìjì	diary
14. 晴	（形）	qíng	sunny; fine
15. 转	（动）	zhuǎn	change; turn
16. 阴	（形）	yīn	overcast
17. 父亲	（名）	fùqin	father
18. 母亲	（名）	mǔqin	mother
19. 机会	（名）	jīhuì	opportunity; chance
20. 机场	（名）	jīchǎng	airport
21. 正点	（形）	zhèngdiǎn	on time; on schedule
22. 起飞	（动）	qǐfēi	take off
23. 遇到		yùdào	come across; run into

Proper Nouns

专有名词

泰国	Tàiguó	Thailand

语言点（Grammar Points）

一 “一……就……” (As soon as... then...)

“一 VP_1……就 VP_2……”表示 VP_1 和 VP_2 相隔的时间很短。(This pattern is used to mean that action2 takes place immediately after action1.)

（一）VP_1 和 VP_2 可以是同一个主语。(The subjects of the two verbs can be the same one.)

例：1. 我一出门就看见了小王。

2. 我们一买到票就出发。

3. 那条小狗太可爱了，弟弟一看就喜欢。

（二）VP_1 和 VP_2 也可以是不同的主语。(The subjects of the two verbs can be different.)

例：1. 他一下飞机我就看见他了。

2. 我打电话叫出租车，我一出门，车就来了。

3. 我们一说他就收下了。

二 “都”

（一）无例外。(No exception.)

例：1. 我们都是东方大学的学生。

2. 这次考试，同学们考得都很好。

（二）表强调，有“已经”的意思。(Already, it is used to show that the speaker thinks it is too late or takes too long time.)

例：1. 都十二点了，她还没回来。

2. 都学了两年了，汉语还是说得不太好。

三 “是……的” (It is... that...)

“是……的”表示强调。强调的部分放在“是”的后面，一般是已经发生的事情。(This pattern is used to emphsize the time, place, method/way, or purpose of one certain action. Usually the action took place in the past.)

（一）强调时间。(Emphsize the time.)

例：1. 他是去年从东方大学毕业的。

2. 这个航班是下午四点到北京的。

（二）强调地点。(Emphsize the place.)

例：1. 这本词典是在学校的书店买的。

2. 我是在图书馆看见刘老师的。

（三）强调方式等。(Emphsize the method.)

例：1. 我们是坐火车去哈尔滨的。

2. 他们是骑自行车来学校的。

（四）强调目的等。(Emphsize the purpose.)

例：1. 他是来取包裹的。

2. 我不是来看你的，是来看李军的。

练习 Exercises

一 辨字组词（Make Words or Phrases with the Given Characters）

奇（　　）　欢（　　）　母（　　）　回（　　）　问（　　）

骑（　　）　次（　　）　每（　　）　四（　　）　间（　　）

二 写出反义词（Write Antonyms to the Given Words）

正点——　　晴——　　接——

父亲——　　进——

三 选词填空（Fill in the Blanks with the Following Words）

看见　查　接　回国　遇到　起飞　奇怪

1. 我在机场（　　）李军了，他是来（　　）姐姐的。
2. 我送父母（　　），他们的飞机（　　）以后我才回来。
3. 昨天我在朋友家（　　）了一条小狗，非常可爱。
4. 我去找他，没有找到，（　　）！我让服务员（　　）了一下，才知道他换了房间。

四 用“一……就……”看图说句子（Look at the Drawings and Use “一……就……” to Make Sentences）

1. ________________

2. ________________

3. ________________

4. ________________

5. ________________

五 将下列句子用“是……的”变成强调句（Rewrite the Following Sentences with “是……的”）

1. 玛丽去中华大学玩儿了。
   → ________________________________
2. 大卫骑自行车去学校了。
   → ________________________________
3. 李军来机场接姐姐了。
   → ________________________________
4. 中村去年回国了。
   → ________________________________
5. 李老师给我打了一个电话。
   → ________________________________
6. 昨天晚上大卫和朋友在酒吧聊天儿了。
   → ________________________________

六 用指定格式完成对话（Complete the Dialogues with the Given Expressions）

1. A：你父母什么时候回国的？
   B：________________。（是……的）
2. A：你这件衣服真漂亮，在哪儿买的？
   B：________________。（是……的）
3. A：________________？（都……）
   B：别着急，他说一会儿就到。
4. A：________________？（都……）
   B：今天的作业太多了，没办法。
5. A：你们怎么一起来了？
   B：________________。（一……就……）
6. A：今天是星期六，图书馆不开门吗？
   B：________________。（一……就……）

七 用指定词语问答（Answer the Following Questions with the Given Words）

飞机　航班　正点　晚点　起飞　接　送　回国
奇怪　查

1. 你是怎么来中国的？
2. 你的父母（朋友）有没有到机场送（接）你？
3. 你坐的航班晚点了吗？
4. 你喜欢坐飞机吗？为什么？

八 阅读理解（Reading Comprehension）

一年前，我来中国留学。这是我第一次出国，也是我第一次坐飞机，心情很紧张，但是我想别人都可以坐飞机，我也一定没问题。出发那天，我早早来到了机场。机场真大呀，我先办好了登机手续，就在机场里随便走走。我去餐厅吃了饭，还在商店买了东西，然后就在12号登机口等飞机。可是等了半个多小时，也不见飞机来。奇怪！我问服务员小姐，她告诉我航班是正点起飞。再一看机票，才发现登机口是

"21",而不是"12",我记错了。我急忙赶到21号登机口,发现全飞机的人都在等我,真不好意思。就这样我们的飞机因为我晚点了。

(一) 判断正误 (True or False)

1. 两年前,我第一次坐飞机出国留学。□
2. 我觉得坐飞机很简单,应该没问题。□
3. 我很早到了机场,一直在登机口等飞机。□
4. 机场里有餐厅,但是没有商店。□
5. 我应该在12号登机口上飞机,我记错了。□

(二) 回答问题 (Answer the Questions)

1. "我"到机场以后都做什么了?
2. "我"的飞机是正点起飞还是晚点了?
3. "我"的航班的登机口是12还是21?
4. "我"为什么觉得不好意思?

Additional Vocabulary 补充生词

1. 心情	(名)	xīnqíng	state of mind; mood
2. 登机手续		dēngjī shǒuxù	check in
3. 登机口	(名)	dēngjīkǒu	gate (of airport)
4. 赶	(动)	gǎn	hurry; catch

第三十二课 我想 搬到 外面 去
Dì-sānshíèr Kè Wǒ Xiǎng Bāndào Wàimian Qù

（在宿舍里）

李 军：大卫，好久不见，最近忙什么呢？
大 卫：找房子呢，我想搬到外面去。
李 军：住在学校里不好吗？你看，学校里有商店、食堂，还有邮局和银行，多方便呀。离教室也很近，每天你可以多睡会儿懒觉，而且房租也比外面的便宜。
大 卫：可是，学校的宿舍没有厨房，房间里也没有卫生间，生活有些不方便。最主要的是，周围都是留学生，对练习汉语没好处。
李 军：你说的也是。
大 卫：你帮我注意一下儿有没有合适的房子。
李 军：没问题，我的一个朋友就在中介所工作。

昨天我的一个朋友来了，我发现他的汉语进步很快。以前我和他的水平差不多，现在他比我高多了，说得也比我流利。原来他现在住在中国人的家里。我也想搬到外面去了。我想找一套公寓，离学校不要太远，最好有厨房和卫生间。真希望早点儿搬家。

Lǐ Jūn: Dàwèi, hǎojiǔ bú jiàn, zuìjìn máng shénme ne?
Dàwèi: Zhǎo fángzi ne, wǒ xiǎng bāndào wàimian qù.
Lǐ Jūn: Zhùzài xuéxiào li bù hǎo ma? Nǐ kàn, xuéxiào li yǒu shāngdiàn, shítáng, hái yǒu yóujú hé yínháng, duō fāngbiàn ya. Lí jiàoshì yě hěn jìn, měi tiān nǐ kěyǐ duō shuì huìr lǎn jiào, érqiě fángzū yě bǐ wàimian de piányi.
Dàwèi: Kěshì, xuéxiào de sùshè méiyǒu chúfáng, fángjiān li yě méiyǒu wèishēng-

jiān, shēnghuó yǒuxiē bù fāngbiàn. Zuì zhǔyào de shì, zhōuwéi dōu shì liúxuéshēng, duì liànxí Hànyǔ méi hǎochu.

Lǐ Jūn: Nǐ shuō de yě shì.

Dàwèi: Nǐ bāng wǒ zhùyì yíxiàr yǒu méiyǒu héshì de fángzi.

Lǐ Jūn: Méi wèntí, wǒ de yí ge péngyou jiù zài zhōngjièsuǒ gōngzuò.

Zuótiān wǒ de yí ge péngyou lái le, wǒ fāxiàn tā de Hànyǔ jìnbù hěn kuài. Yǐqián wǒ hé tā de shuǐpíng chàbuduō, xiànzài tā bǐ wǒ gāoduō le, shuōde yě bǐ wǒ liúlì. Yuánlái tā xiànzài zhùzài Zhōngguórén de jiāli. Wǒ yě xiǎng bāndào wàimian qù le. Wǒ xiǎng zhǎo yí tào gōngyù, lí xuéxiào bú yào tài yuǎn, zuìhǎo yǒu chúfáng hé wèishēngjiān. Zhēn xīwàng zǎodiǎnr bān jiā.

New Words and Expressions 生词语

1. 搬	(动)	bān	move
2. 外面	(名)	wàimian	outside
3. 房子	(名)	fángzi	house
4. 银行	(名)	yínháng	bank
5. 方便	(形)	fāngbiàn	convenient
6. 离	(介)	lí	be away from
7. 近	(形)	jìn	close; near
8. 房租	(名)	fángzū	rent
9. 比	(动)	bǐ	compare; than
10. 厨房	(名)	chúfáng	kitchen
11. 主要	(形)	zhǔyào	main; major
12. 周围	(名)	zhōuwéi	surrounding
13. 练习	(动)	liànxí	practise
14. 好处	(名)	hǎochu	good; benefit
15. 注意	(动)	zhùyì	keep an eye on
16. 合适	(形)	héshì	suitable
17. 中介所	(名)	zhōngjièsuǒ	agent; intermediary
18. 发现	(动)	fāxiàn	find out; discover
19. 进步	(动)	jìnbù	progress

20. 以前	(名)	yǐqián	before
21. 水平	(名)	shuǐpíng	level
22. 高	(形)	gāo	tall; high
23. 流利	(形)	liúlì	fluent
24. 原来	(副)	yuánlái	so; it turns out to be
25. 套	(量)	tào	*measure word, used for series or sets of things*
26. 公寓	(名)	gōngyù	apartment house
27. 远	(形)	yuǎn	far

语言点 (Grammar Points)

一 **“离”(Away from)**

例：1. 美国离中国比较远。

2. 留学生宿舍离湖边很近。

3. 我的公寓离学校不远，骑车只要十分钟。

二 **“比”字句 (Sentences with “比”)**

(一) “A 比 B + adj.”(A is more adj. than B.)

例：1. 他比我高。

2. 这个房间比那个(房间)大。

3. 这家商店的东西比那家的(东西)便宜。

(二) “A 比 B + adj. + 多了”(A is much more adj. than B.)

例：1. 他比我高多了。

2. 今天比昨天热多了。

3. 这次考试比上次容易多了。

三 **“以前” (Before)**

(一) 用在表时间点前。(Time word/verbal phrase+以前)

例：1. 八点以前我们一定要到学校。

2. 睡觉以前，别忘了吃药。

（二）与"现在"相对，表示一段时间。（以前+clause）

例：1. 以前我住在上海，去年搬到了北京。

2. 以前我的专业是中国文学，现在是中国历史。

练 习 Exercises

一 辨字组词（Make Words or Phrases with the Given Characters）

外（　　）　房（　　）　租（　　）　平（　　）　遇（　　）

处（　　）　方（　　）　姐（　　）　半（　　）　寓（　　）

二 用直线把A、B两组词连接起来（Link the Words of A, B Columns）

A	B	A	B
水平	晚点	接	家
汉语	起飞	睡	汉语
航班	高	搬	朋友
飞机	流利	练习	懒觉

三 选词填空（Fill in the Blanks with the Following Words）

搬　注意　发现　练习　进步

1. 他常常参加中国朋友的聚会，（　　）汉语，所以（　　）很快。
2. 以前的公寓房租比较贵，所以我最近（　　）家了。
3. 你（　　）没有，已经好久没看见大卫了，他回国了吗？
4. 这家酒吧真不错，是谁（　　）的？

方便　合适　流利　主要

1. 我现在住在学校的宿舍，住在这里很（　　），离图书馆、教室都很近，但是我不习惯和别人一起住，所以我打算搬家。

2. 这件衣服不是不漂亮，(　　)是我不喜欢它的颜色，太花了，对我不(　　)。

3. 他说汉语说得很(　　)。

四 仿照例句改写句子 (Rewrite the Following Sentences According to the Example)

例：他 1.90m，我 1.70m。

→ 他比我高。　　→ 他比我高多了。

1. 今天 32 度，昨天 25 度。

→ ____________________

→ ____________________

2. 他家 280 平方米，我家 100 平方米。

→ ____________________

→ ____________________

3. 这个学校有 200 个留学生，那个学校有 500 个留学生。

→ ____________________

→ ____________________

4. 这本书有 200 个汉字，那本书有 1000 个汉字。

→ ____________________

→ ____________________

5. 这件衣服 100 块钱，那件衣服 600 块钱。

→ ____________________

→ ____________________

五 用指定格式完成对话 (Complete the Dialogues with the Given Expressions)

1. A：你住在哪儿？

   B：____________________。(离)

2. A：你为什么上课常常迟到？

   B：____________________。(最主要的是……)

3. A：听说你很喜欢打太极拳，为什么？

   B：____________________。(对……有好处)

4. A：你怎么知道他的名字？
   B：______________________________。（以前）
5. A：我昨天送一个朋友去机场，所以没来上课。
   B：______________________________。（原来）

六 用指定词语问答（Answer the Following Questions with the Given Words）

宿舍 公寓 房租 厨房 卫生间 搬 方便 周围 外面 近/远 好处

1. 你现在住在哪儿？
2. 简单介绍一下儿你的房间。
3. 简单描述一下儿你理想的房子。
4. 你认为和中国人一起住是不是学习汉语的好方法？

七 阅读理解（Reading Comprehension）

我小的时候，全家六口人住在两间平房里，没有暖气，也没有厨房和卫生间，上厕所要到街上的公共厕所。夏天还好一点儿，冬天就难过了，非常冷。所以，我从小就想搬到楼房住。大学毕业后我留在北京工作，可是我工作的公司没有宿舍，我只好到外面租房。我先在公司附近找了一套公寓，房子不大，但是房租很高，而且和别人一起住，不太方便。两年后，我终于贷款买了一套小公寓，虽然房子不太大，但是有厨房和卫生间，我非常满意。

（一）判断正误（True or False）

1. “我”小的时候特别想住在平房里。□
2. 那时平房冬天有暖气，很舒服。□
3. “我”大学毕业以后在一家公司工作。□
4. “我”最早租的房子离公司不远。□
5. 工作两年后，父母帮助“我”买了“我”自己的房子。□

（二）回答问题（Answer the Questions）

1. “我”为什么不喜欢平房？

2. “我”对以前租的公寓不满意，为什么？

3. “我”现在的房子大不大？为什么“我”觉得很满意？

Additional Vocabulary 补充词语

1. 平房	（名）	píngfáng	one-storey house
2. 暖气	（名）	nuǎnqì	central heating
3. 难过	（形）	nánguò	have a hard time
4. 贷款		dài kuǎn	provide a loan; loan; credit

第三十三课 她穿着一件黄衬衫

Dì-sānshísān Kè Tā Chuānzhe Yí Jiàn Huáng Chènshān

(在书市)

玛　丽：同志，我和我的朋友走散了，麻烦你们找一下儿。

警　察：她叫什么名字？是哪国人？

玛　丽：她叫安娜，是德国人。她刚来中国不久，汉语还说得不太好。

警　察：她多大年纪？长得什么样子？

玛　丽：大概二十三四岁，黄头发，蓝眼睛，个子不太高，一米六多吧。

警　察：穿什么衣服？

玛　丽：她穿着一件黄衬衫，一条蓝牛仔裤，背着一个大旅行包。

警　察：你们是什么时候走散的？

玛　丽：下午两点半左右。

警　察：别着急，我们一定帮你。

寻物启事

昨天（9月5日）下午5点钟左右，我在南操场丢了一个红色旅行包，里面有几枝笔，还有几个本子。请拾到者送到留学生5号楼302室，或者打电话52768436和大卫联系。非常感谢。

大　卫

2004年9月6日

Mǎlì: Tóngzhì, wǒ hé wǒ de péngyou zǒusàn le, máfan nǐmen zhǎo yíxiàr.

Jǐngchá: Tā jiào shénme míngzi? Shì nǎ guó rén?

Mǎlì: Tā jiào Ānnà, shì Déguórén. Tā gāng lái Zhōngguó bùjiǔ, Hànyǔ hái shuō de bú tài hǎo.

Jǐngchá: Tā duō dà niánjì? Zhǎng de shénme yàngzi?

Mǎlì: Dàgài èrshísān-sì suì, huáng tóufa, lán yǎnjing, gèzi bú tài gāo, yì mǐ liù duō ba.

Jǐngchá: Chuān shénme yīfu?

Mǎlì: Tā chuānzhe yí jiàn huáng chènshān, yì tiáo lán niúzǎikù, bēizhe yí ge dà lǚxíngbāo.

Jǐngchá: Nǐmen shì shénme shíhou zǒusàn de?

Mǎlì: Xiàwǔ liǎng diǎn bàn zuǒyòu.

Jǐngchá: Bié zháojí, wǒmen yídìng bāng nǐ.

Xún Wù Qǐshì

Zuótiān (jiǔ yuè wǔ rì) xiàwǔ wǔ diǎn zhōng zuǒyòu, wǒ zài nán cāochǎng diūle yí ge hóngsè lǚxíngbāo, lǐmian yǒu jǐ zhī bǐ, hái yǒu jǐ ge běnzi. Qǐng shídàozhě sòngdào liúxuéshēng wǔ hào lóu sān-líng-èr shì, huòzhě dǎ diànhuà wǔ-èr-qī-liù-bā-sì-sān-liù hé Dàwèi liánxì. Fēicháng gǎnxiè.

Dàwèi

Èr-líng-líng-sì nián jiǔ yuè liù rì

New Words and Expressions 生词语

1. 衬衫	(名)	chènshān	shirt
2. 同志	(名)	tóngzhì	comrade
3. 走散		zǒusàn	get lost; stray
4. 不久	(形)	bùjiǔ	soon; before long
5. 年纪	(名)	niánjì	age
6. 长	(动)	zhǎng	grow
7. 样子	(名)	yàngzi	appearanc
8. 头发	(名)	tóufa	hair

9. 眼睛	(名)	yǎnjing	eye
10. 个子	(名)	gèzi	height
11. 米	(量)	mǐ	metre
12. 牛仔裤	(名)	niúzǎikù	jeans
13. 背	(动)	bēi	carry on the back
14. 包	(名)	bāo	bag
15. 左右	(助)	zuǒyòu	or so; approximate
16. 寻	(动)	xún	look for
17. 物	(名)	wù	thing
18. 启事	(名)	qǐshì	notice
19. 南	(名)	nán	south
20. 操场	(名)	cāochǎng	playground
21. 丢	(动)	diū	lose
22. 里面	(名)	lǐmian	inside
23. 枝	(量)	zhī	*a mesure word for long, thin and inflexible objects*
24. 笔	(名)	bǐ	writing utensils
25. 本子	(名)	běnzi	exercise book
26. 拾	(动)	shí	pick up
27. 者	(名尾)	zhě	-er; -or
28. 或者	(副)	huòzhě	or
29. 联系	(动)	liánxì	contact
30. 感谢	(动)	gǎnxiè	thank; appreciate

专有名词

Proper Nouns

1. 安娜	Ānnà	Anna
2. 德国人	Déguórén	German

语言点 (Grammar Points)

一 概数(Approximate Number)

(一) 相临的两个数词连用,表概数。(Two close numbers can be used together to indicate approximate number.)

例:1. 这个西瓜有十五六斤吧。

2. 他二十四五岁的样子,个子不太高。

3. 我的家离学校不太远,走路也就七八分钟。

(二) "Num + 多/几 + M"

例:1. 那座楼很高,大概有三十多层。

2. 她很年轻,二十几岁,很漂亮。

(三) "Num + M + 左右"

例:1. 这儿的房租不太贵,一个月八百块左右。

2. 他是十一点左右来的。

二 "V + 着 + NM + O"

表示动作持续的状态。(This expression is usually used to describe a state of continuous actions.)

例:1. 他穿着一件白衬衫,手里拿着一束花。

2. 玛丽骑着一辆自行车。

三 存在句(1) (Existential Sentences)

"处所词 + 有 + O",表示某处存在某人或某物。(This expression is used to indicate there is something or somebody in some place.)

例:1. 教室里有几个学生。

2. 书包里有几本书和几个本子。

3. 公寓前有一个车棚,可以放你的自行车。

练习 Exercises

一 辨字组词（Make Words or Phrases with the Given Characters）

记（　　）　睛（　　）　去（　　）　牛（　　）　启（　　）
纪（　　）　晴（　　）　丢（　　）　午（　　）　名（　　）

二 注音组词或组词语（Write the Pronunciations of the Characters and Make Words or Phrases with Them）

长____（　　　　）　背____（　　　　）　觉____（　　　　）
　____（　　　　）　　____（　　　　）　　____（　　　　）
行____（　　　　）　便____（　　　　）
　____（　　　　）　　____（　　　　）

三 选词填空（Fill in the Blanks with the Following Words）

散　长　背　寻　丢　拾　联系　感谢

1. 李明和他的孩子在商店走（　）了，很着急。他的女儿五岁多，大眼睛，长头发，（　）得很漂亮。他写了一个（　）人启事，希望见到他女儿的人打电话和他（　　）。
2. 前天我（　）了我的词典，学习的时候很不方便，有一个同学（　）到了，送到了我的宿舍，我真的非常（　　）他。
3. 他（　）着一个大旅行包去旅行了。

四 看图用"处所词＋有＋O"描述下列各图（Describe the Following Pictures with "处所词＋有＋O"）

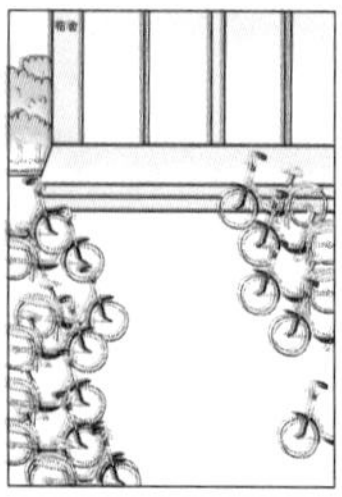

1. ____________________　　2. ____________________

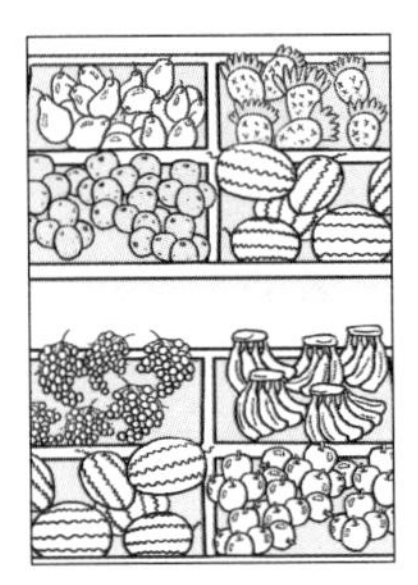

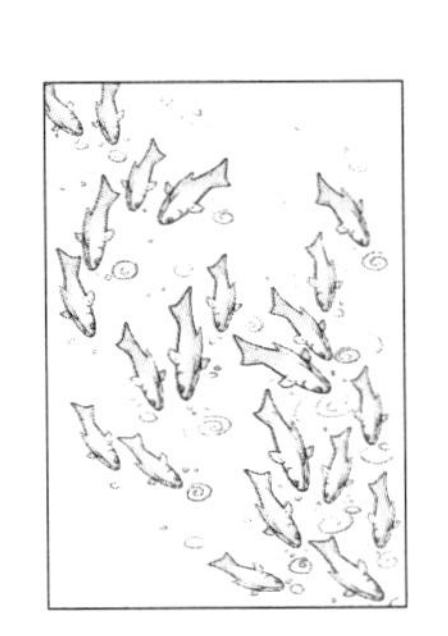

3. ____________________　　4. ____________________

五　看图用所给的词语和句式描述一下儿他们的样子 (Describe the Persons in the Following Pictures)

(个子、头发、眼睛、鼻子，衬衫、牛仔裤、裙子、眼镜、旅行包，二十一二岁、左右、多，V + 着 + O)

____

____

____

____

____

____

____

____

____

____

____

____

六 用指定格式完成对话 (Complete the Dialogues with the Given Expressions)

1. A：你的朋友什么样子？
   B：______________________________。(V + 着 + O)
2. A：明天你有什么安排？
   B：______________________________。(或者)
3. A：那位打太极拳的老人身体真好，他多大年纪了？
   B：______________________________。(七八十岁)
4. A：北京的冬天冷不冷？一般多少度？
   B：______________________________。(左右/多)

七 阅读理解 (Reading Comprehension)

寻人启事

李小明，男，五岁半，短头发，黑眼睛，身穿黄色T恤和牛仔短裤，昨日在家门前走失。有见到者请打电话 96875432 或手机 13407891234 和李伟联系，非常感谢！

回答下列问题 (Answer the Questions)

1. “寻人启事”找谁？
2. 李小明长得什么样子？
3. 他是在哪儿走丢的？
4. 如果见到李小明和谁联系？怎么联系？

八 阅读与写作 (Reading and Composition)

真倒霉！昨天我在宿舍楼的卫生间洗澡的时候，忘了拿我的手表。那块手表上面有 Kitty 猫，是我上大学时爸爸妈妈送给我的礼物，是我最心爱的东西。丢了手表我很难过，不想吃饭，不想睡觉，真希望快点儿找到我的表。请你们帮帮我。我住在留学生宿舍2号楼415房间，我叫中村。

(一) 回答下列问题 (Answer the Questions)

1. “我”丢了什么东西？
2. 东西是什么时候、在哪儿丢的？
3. 那块表是什么样子？
4. 如果找到了和谁联系？

(二) 根据上文，写一则《寻物启事》(Write a Notice)

Additional Vocabulary

补充词语

1. T恤	(名)	tīxù	T-shirt
2. 洗澡		xǐ zǎo	take a bath
3. 手表	(名)	shǒubiǎo	watch

第三十四课 美国没有这么多自行车

Dì-sānshísì Kè Měiguó Méiyǒu Zhème Duō Zìxíngchē

李　军：大卫，你来中国的时间不短了，你觉得中国和美国一样吗？

大　卫：有的地方一样，有的地方不一样。

李　军：比如说——

大　卫：美国和中国一样，都是大国，面积都不小，但是美国人口没有中国那么多，历史也没有中国那么长。另外，美国是发达国家，中国是发展中国家，生活水平有点儿不一样。

李　军：说得不错。还有吗？

大　卫：还有，美国没有这么多自行车。

李　军：那人们上班、上学都开车吗？

大　卫：不一样，有的坐公共汽车，有的坐地铁，还有的开车。

来中国以后，我发现中国有几多：一是人多，有十三亿人口，公共汽车上、商店里、路上，到处都是人；二是车多，上班、下班的时候，马路上的汽车、自行车像河流一样，很壮观；三是中国菜的种类多，听说有名的菜就有八大菜系；四是名胜古迹多，中国有几千年的历史，名胜古迹当然很多；五是民族多，有55个少数民族；还有……我在慢慢发现呢。

Lǐ Jūn: Dàwèi, nǐ lái Zhōngguó de shíjiān bù duǎn le, nǐ juéde Zhōngguó hé Měiguó yíyàng ma?

Dàwèi: Yǒude dìfang yíyàng, yǒude dìfang bù yíyàng.

Lǐ Jūn: Bǐrú shuō—

Dàwèi: Měiguó hé Zhōngguó yíyàng, dōu shì dà guó, miànjī dōu bù xiǎo, dànshì Měiguó rénkǒu méiyǒu Zhōngguó nàme duō, lìshǐ yě méiyǒu Zhōngguó nàme cháng. Lìngwài, Měiguó shì fādá guójiā, Zhōngguó shì fāzhǎnzhōng guójiā, shēnghuó shuǐpíng yǒudiǎnr bù yíyàng.

Lǐ Jūn: Shuōde búcuò. Hái yǒu ma?

Dàwèi: Hái yǒu, Měiguó méiyǒu zhème duō zìxíngchē.

Lǐ Jūn: Nà rénmen shàng bān, shàng xué dōu kāi chē ma?

Dàwèi: Bù yíyàng, yǒude zuò gōnggòngqìchē, yǒude zuò dìtiě, hái yǒude kāi chē.

Lái Zhōngguó yǐhòu, wǒ fāxiàn Zhōngguó yǒu jǐ duō: yī shì rén duō, yǒu shísān yì rénkǒu, gōnggòngqìchē shang, shāngdiàn li, lù shang, dàochù dōu shì rén; èr shì chē duō, shàng bān, xià bān de shíhou, mǎlù shang de qìchē, zìxíngchē xiàng héliú yíyàng, hěn zhuàngguān; sān shì Zhōngguócài de zhǒnglèi duō, tīngshuō yǒumíng de cài jiù yǒu bā dà càixì; sì shì míngshèng gǔjì duō, Zhōngguó yǒu jǐ qiān nián de lìshǐ, míngshèng gǔjì dāngrán hěn duō; wǔ shì mínzú duō, yǒu wǔshíwǔ ge shǎoshùmínzú; hái yǒu... wǒ zài mànmàn fāxiàn ne.

New Words and Expressions 生词语

1. 短	（形）	duǎn	short
2. 一样	（形）	yíyàng	same; as ... as
3. 地方	（名）	dìfang	part; place
4. 比如说		bǐrú shuō	for example
5. 面积	（名）	miànjī	area
6. 人口	（名）	rénkǒu	population
7. 发达	（形）	fādá	developed
8. 国家	（名）	guójiā	country
9. 发展	（动）	fāzhǎn	develop
10. 人们	（名）	rénmen	people
11. 上班		shàng bān	go to work
12. 上学		shàng xué	go to school
13. 开	（动）	kāi	drive
14. 亿	（数）	yì	hundred million

15. 到处	(名)	dàochù	everywhere
16. 下班		xià bān	get off work
17. 汽车	(名)	qìchē	bus; car
18. 像	(动)	xiàng	resemble; be like
19. 河流	(名)	héliú	river
20. 壮观	(形)	zhuàngguān	magnificent sight
21. 种类	(名)	zhǒnglèi	kind
22. 菜系	(名)	càixì	cuisine
23. 名胜古迹		míngshèng gǔjì	scenic spot and historical place
24. 千	(数)	qiān	thousand
25. 民族	(名)	mínzú	nation; ethnic group

语言点 (Grammar Points)

一 “A 没有 B(那么)adj. ” (A is not quite as adj. as B.)

比字句“A 比 B + adj.”的否定式是：A 没有 B + (这/那么) adj. (The negative form for A 比 B + adj. is A 没有 B + (这/那么) adj.)

例：1. 他比我高。→ 他没有我高。→ 他没有我这么高。

2. 这个房间比那个大。→ 这个房间没有那个大。→ 这个房间没有那个那么大。

3. 这家商店的东西比那家的(东西)便宜。→ 这家商店的东西没有那家的(东西)便宜。→ 这家商店的东西没有那家的(东西)那么便宜。

二 “A 和 B 一样” (A is as adj. as B.)

例：1. 我和他一样，都是大学生。

2. 这家商店和那家商店一样，都卖书和杂志。

A和 B 一样 adj. (A is as adj. as B.)

例：1. 他的汉语水平和我的(汉语水平)一样高。

2. 我的房子和他的(房子)一样漂亮。

三 “像……一样” (A is like B.)

例：1. 她长得很漂亮，像电影明星一样。

2. 大卫说汉语说得非常流利，像中国人一样。

3. 他做数学题特别快，像电脑一样。

四 “有的……有的……”(Some..., some...)

例：1. 学校放假以后，有的同学回家，有的同学去旅行。

2. 在酒吧，有的人在聊天儿，有的人在喝酒，还有的人在唱卡拉 OK。

3. 周末，我有(的)时候去逛商店，有(的)时候去看电影。

4. 这个城市有的地方很漂亮，有的地方不太漂亮。

练 习 Exercises

一 辨字组词 (Make Words or Phrases with the Given Characters)

积(　　) 观(　　) 种(　　) 旅(　　) 达(　　)

识(　　) 现(　　) 钟(　　) 族(　　) 进(　　)

二 用适当的词语填空 (Fill in the Blanks with Appropriate Words)

方便的(　　　) 有名的(　　　) 发达的(　　　)

壮观的(　　　) 流利的(　　　) 奇怪的(　　　)

三 选词填空 (Fill in the Blanks with the Following Words)

发达　发展　发现

1. 我的老家不太(　　),生活水平不高。
2. 这些年,北京(　　)了公共交通,人们出门方便多了。
3. 去年,我回了一趟老家,(　　)很多地方都变了。

上班　上学　上车　上街

1. 每天早上,我先送孩子(　　),然后再去(　　)。
2. 下午,我打算(　　)买东西。
3. 老年人(　　)下车都不太方便,应该小心。

四 把下列句子改成否定句 (Change the Sentences into Negative Ones)

1. 他的汉语水平比我高。
   → ______
2. 饺子比米饭好吃。
   → ______
3. 喝白酒比啤酒容易醉。
   → ______
4. 今天比昨天热多了。
   → ______

五 用"和……一样"或"像……一样"改写句子 (Rewrite the Following Sentences with "和……一样" or "像……一样")

1. 哥哥是大学生,弟弟也是大学生。
   → ______
2. 妈妈长得很漂亮,姐姐的样子很像妈妈。
   → ______
3. 她唱得很好,有人说她应该去做演员。
   → ______
4. 玛丽说汉语很流利,好像中国人。
   → ______
5. 她对我非常好,好像我姐姐。
   → ______

六 用指定格式完成对话 (Complete the Dialogues with the Given Expressions)

1. A：你觉得汉语难不难？
   B：________________________。(比如说)
2. A：你的同学每天怎样来学校上学？
   B：________________________。(有的……有的……)
3. A：很多中国人喜欢包饺子，你知道为什么吗？
   B：________________________。(另外)
4. A：周末了，你怎么不出去玩儿呢？
   B：________________________。(到处)
5. A：听说你们晚上要开联欢会，为什么？
   B：________________________。(一是……二是……)

七 用指定词语问答 (Answer the Following Questions with the Given Words)

面积　人口　历史　人民　民族　地方　名胜古迹

1. 请简单介绍一下你们国家？(面积、人口、历史)
2. 你们国家有没有少数民族？
3. 你最喜欢的名胜古迹是什么？
4. 你觉得中国有哪些地方和你们国家不一样？

八 阅读与写作 (Reading and Composition)

中国在亚洲，面积是九百六十万平方公里，只比俄罗斯、加拿大小，是世界第三大国。中国有十三亿人口，是世界上人口最多的国家，据说地球上每五个人中就有一个是中国人。中国面积大、人口多，历史也很长，已经有几千年的历史了。因为中国的历史很长，所以名胜古迹也非常多，最有名的就是长城。有人说："不到长城非好汉，不吃烤鸭真遗憾。"意思就是说，来中国一定要去看看伟大的长城，一定要去吃北京烤鸭，当然更应该学好汉语，这对留学生来说才是最重要的。

(一) 回答问题 (Answer the Questions)

1. 中国的面积是多少? 人口呢?
2. 中国的历史有多少年?
3. “不到长城非好汉,不吃烤鸭真遗憾”是什么意思?
4. 对留学生来说,最重要的是什么?

(二) 模仿上文,介绍一下你们国家 (Introduce Your Own Country)

Additional Vocabulary 补充词语

1. 亚洲	(名)	yàzhōu	Asia
2. 平方公里		píngfāng gōnglǐ	square kilometre (km^2)
3. 俄罗斯	(名)	Éluósī	Russia
4. 据说		jùshuō	it is said; they say
5. 遗憾	(形)	yíhán	regret; pity

第三十五课　这家餐厅的菜不错

Dì-sānshíwǔ Kè　Zhè Jiā Cāntīng de Cài Búcuò

（在餐厅）

大　卫：两位女士吃饱了吗？要不要再点一个菜？

玛　丽：够了，我已经吃好了。

安　娜：我也吃饱了。这家餐厅的菜真不错。大卫，以前你经常来这儿吗？

大　卫：不常来，一个星期三四次吧。

安　娜：你每天都在哪儿吃饭？

大　卫：有的时候在食堂，有的时候去饭馆，偶尔也自己做。

玛　丽：你会做饭？我还是第一次听说。

大　卫：很少做。自己做饭比在外面吃便宜，不过没有饭馆的菜那么好吃。

安　娜：你会做什么饭？

大　卫：水平最高的当然是煮方便面。

玛　丽：那你和我一样呀！

　　今天是周末，我打算去外面吃饭。每天都吃食堂的饭，肚子早就有意见了。朋友告诉我，有一家火锅店是最近刚开张的，酒水免费。我一听就打算去那儿了。我是跟几个朋友一起去的，一个人去没有意思，人多比较热闹。那家餐厅离学校不太远，走路要十多分钟。那儿的环境不错，服务员的态度也很热情，价钱也算公道，就是味道辣了一些。

Dàwèi：Liǎng wèi nǚshì chībǎole ma? Yào bú yào zài diǎn yí ge cài?

Mǎlì： Gòu le, wǒ yǐjing chīhǎo le.

Ānnà： Wǒ yě chībǎo le. Zhè jiā cāntīng de cài zhēn búcuò. Dàwèi, yǐqián nǐ jīngcháng lái zhèr ma?

Dàwèi：Bù cháng lái, yí ge xīngqī sān-sì cì ba.

Ānnà： Nǐ měi tiān dōu zài nǎr chī fàn?

Dàwèi：Yǒude shíhou zài shítáng, yǒude shíhou qù fànguǎn, ǒu'ěr yě zìjǐ zuò.

Mǎlì： Nǐ huì zuò fàn? Wǒ háishi dì-yī cì tīngshuō.

Dàwèi：Hěn shǎo zuò. Zìjǐ zuò fàn bǐ zài wàimian chī piányi, búguò méiyǒu fànguǎn de cài nàme hǎochī.

Ānnà： Nǐ huì zuò shénme fàn?

Dàwèi：Shuǐpíng zuì gāo de dāngrán shì zhǔ fāngbiànmiàn.

Mǎlì： Nà nǐ hé wǒ yíyàng ya!

Jīntiān shì zhōumò, wǒ dǎsuan qù wàimian chī fàn. Měi tiān dōu chī shítáng de fàn, dùzi zǎo jiù yǒu yìjiàn le. Péngyou gàosu wǒ, yǒu yì jiā huǒguōdiàn shì zuìjìn gāng kāizhāng de, jiǔshuǐ miǎnfèi. Wǒ yì tīng jiù dǎsuan qù nàr le. Wǒ shì gēn jǐ ge péngyou yìqǐ qù de, yí ge rén qù méiyǒu yìsi, rén duō bǐjiào rè'nao. Nà jiā cāntīng lí xuéxiào bú tài yuǎn, zǒu lù yào shí duō fēnzhōng. Nàr de huánjìng búcuò, fúwùyuán de tàidù yě hěn rèqíng, jiàqian yě suàn gōngdào, jiùshì wèidào làle yìxiē.

New Words and Expressions 生词语

1. 家	(量)	jiā	*a measure word for enterprises, such as restaurant, bookstore, etc.*
2. 餐厅	(名)	cāntīng	dining room; dining hall
3. 位	(量)	wèi	*(Pol.) a measure word for people*
4. 女士	(名)	nǚshì	lady; madam
5. 饱	(形)	bǎo	full
6. 点	(动)	diǎn	order
7. 经常	(形)	jīngcháng	often
8. 饭馆	(名)	fànguǎn	restaurant

9. 偶尔	(副)	ǒu'ěr	occasionally
10. 第	(词头)	dì	*used before integer number to indicate order*
11. 煮	(动)	zhǔ	boil; cook
12. 方便面	(名)	fāngbiànmiàn	instant noodles
13. 肚子	(名)	dùzi	belly; abdomen
14. 火锅	(名)	huǒguō	hotpot
15. 开张	(动)	kāizhāng	open
16. 酒水	(名)	jiǔshuǐ	beverages; drinks
17. 免费		miǎnfèi	free
18. 跟	(介)	gēn	with
19. 环境	(名)	huánjìng	environment
20. 服务员	(名)	fúwùyuán	waiter
21. 态度	(名)	tàidù	attitude
22. 价钱	(名)	jiàqian	price
23. 算	(动)	suàn	be considered; be regarded
24. 公道	(形)	gōngdào	fair; just
25. 辣	(形)	là	hot
26. 一些	(代)	yìxiē	some; a few; a little

单元语言点小结(Summary of Grammar Points)

语言点	课数	例句
1. "一……就……"	31	你一进门我就看见你了。
2. "都……"	31	都十二点了,她还没回来。
3. "是……的"	31	我是在机场遇见他的。
4. "离……"	32	我的宿舍离教室很近。
5. "比"字句	32	他的汉语水平比我高。
6. "以前……"	32	以前,我住在学校,不住在公寓。
7. 概数	33	她二十三四岁,个子不高。

8. 存在句(1)“有”	33	我的书包里有几枝笔和几个本子。
9. “V+着+O”	33	她穿着黄衬衫，蓝色牛仔裤。
10. “A 没有 B 这么+adj.”	34	美国的自行车没有中国的这么多。
11. “和……一样”	34	他和我一样，都是学生。/他和我一样高。
12. “像……一样”	34	车很多，像河流一样。
13. “有的……有的……”	34	有的开车，有的坐车。

练习 Exercises

一 辨字组词 (Make Words or Phrases with the Given Characters)

饱(　　)　环(　　)　偶(　　)　第(　　)　费(　　)

饭(　　)　坏(　　)　便(　　)　弟(　　)　贵(　　)

二 用线连接 A、B 两组词 (Link the Words of A, B Columns)

A	B	A	B
接	家	酒水	晚点
搬	车	汉语	免费
背	菜	飞机	热情
开	航班	态度	流利
煮	朋友	价钱	公道
点	旅行包		
查	方便面		

三 写出反义词 (Write Antonyms to the Given Words)

晴——　远——　接——　正点——　以前——

饿——　长——　慢——　上班——　里面——

四 写出量词 (Write the Measure Words)

一(　)餐厅　一(　)女士　一(　)航班　一(　)笔

一(　　)衬衫　一(　　)公寓　　一(　　)牛仔裤　一(　　)本子

五　选词填空 (Fill in the Blanks with the Following Words)

起飞　遇到　发现　注意　联系　感谢　开张

1. 飞机(　　　)以前,(　　　)了一点儿问题,所以晚点了。
2. 我们的餐厅今天能(　　　),应该(　　　)朋友们的帮助。
3. 昨天我(　　　)了一个老同学,我们已经很久没有(　　　)了。
4. 你(　　　)了没有,今天老张的脸色好像不太好。

奇怪　方便　合适　主要　发达　现在　壮观

1. 我想换一个公寓,(　　　)的公寓太小了,一家人住不太(　　　)。
2. 我放在包里的东西不见了,真是(　　　)。
3. 这个课本对我不(　　　),(　　　)是汉字太多也太难了。
4. 这个城市的汽车工业很(　　　),路上的汽车像河流一样,很(　　　)。

就　再　还　刚　从　都　对　跟　真　像

1. 李军的女朋友(　　)在中华大学中文系学习。
2. 他(　　)(　　)外面回来,(　　)没吃饭呢。
3. 今天你(　　)朋友去玩儿了吧?你们(　　)去哪儿了?
4. 那是你姐姐吧?你和姐姐长得真(　　)。
5. 那家餐厅的菜(　　)好吃,下星期咱们(　　)去吧。
6. 和中国人住在一起,(　　)学习汉语有好处。

六　指定格式改写句子 (Rewrite the Following Sentences with the Given Expressions)

1. 他的衬衫是白色的,牛仔裤是蓝色的,手里有一束花。
   → ______________________________ (V + 着 + O)
2. 李军今年二十二岁,大卫二十四岁。
   → ______________________________ (A 比 B + adj.)
3. 我出门以后,遇到了小王。
   → ______________________________ (一……就……)
4. 我来机场接朋友,不是送朋友。
   → ______________________________ (是……的)

5. 从我的宿舍到教室，走路五分钟就到了。
→ ________________（离……）
6. 已经打了三次电话了，还是没有人接，他不在家吗？
→ ________________（都……）
7. 上次考试没有考好，这次还是没考好。
→ ________________（和……一样）
8. 今天小张回家，小刘去图书馆学习，小李和朋友聚会，大家都不在宿舍。
→ ________________
________________（有的……有的……）

七 用指定词语完成句子（Complete the Sentences with the Given Words）

1. 学好汉语，方法最重要，________________。（比如说）
2. 星期天我不想去逛街，________________。（到处）
3. 我跟他很少联系，________________。（偶尔）
4. 这件衣服很漂亮，________________（算），我也买了一件。
5. 我想搬到校外去住，________________。（另外）

八 用指定词语问答（Answer the Following Questions with the Given Words）

餐厅　酒水　价钱　服务　味道　环境　偶尔　点菜　方便面

1. 你经常在什么地方吃饭？为什么？
2. 和朋友聚会时，你们一般去哪儿？为什么？
3. 你会做饭吗？你做得最好的是什么菜，给大家介绍一下。
4. 请你们简单谈谈中国的餐厅或饭馆，它们和你们国家的一样吗？

九 用指定的句式完成对话（Complete the Dialogues with the Given Expressions）

1. A：来找我的那个人多大岁数？长得什么样子？
B：________________。（……来/多/左右）

2. A：速冻饺子好吃吗？
   B：________________。（A 没有 B + 那么 adj.）
3. A：你丢的旅行包里都有什么？
   B：________________。（有……）
4. A：你不是这儿的人吧？
   B：________________。（以前）
5. A：他很懒，每天都睡懒觉，上课常常迟到。
   B：________________。（像……一样）

十 阅读理解（Reading Comprehension）

今天一早，大卫发现自己的手机不见了。他想了一下，昨天上午去机场接朋友，因为朋友的航班晚点了，他等了差不多两个小时，当时他是用手机联系的，应该没丢在机场。接了朋友以后，他们一起去餐厅吃饭，那家餐厅的环境不错，价钱也算公道，就是服务员的态度不太热情，菜的味道也有点儿辣，吃得肚子不太舒服。不过，大卫在那儿用手机接了一个电话，应该没丢在餐厅。下午大卫带朋友去留学生宿舍，朋友不太喜欢住在学校的宿舍里，他认为周围都是留学生，对学习汉语没好处。因为大卫的汉语水平比朋友高，所以，朋友请他帮忙，要在学校外面租一套公寓，离学校不太远，最好有厨房和卫生间。大卫答应了，他用手机给李军打了一个电话，请他在中介所的朋友帮忙，手机应该不会丢在朋友的宿舍。晚上他打车回学校，以后没用过手机。那么手机丢在哪儿了呢？这时有人来找大卫，原来他的手机丢在出租车里了，司机给他送到了学校。大卫非常感谢他！

（一）判断正误（True or False）

1. 今天大卫的手机丢了。□
2. 上午，大卫的航班晚点了。□
3. 大卫和朋友一起去学校食堂吃饭了。□

4. 下午大卫带朋友去了留学生宿舍。□
5. 大卫的公寓很好，离学校不太远。□
6. 大卫给李军打电话，让李军帮忙。□
7. 晚上，大卫在自己的房间接了一个电话。□
8. 李军给大卫送来了手机。□

(二) 根据短文选择正确答案 (Choose the Correct Answers)

1. 大卫的手机丢在哪儿了？
   A. 机场　　B. 餐厅　　C. 出租车
2. 大卫昨天没去哪儿？
   A. 宿舍　　B. 餐厅　　C. 公寓
3. 大卫为什么打电话给李军？
   A. 找房子　　B. 介绍朋友　　C. 一起吃饭
4. 朋友为什么请大卫帮忙？
   A. 大卫有中国朋友　　B. 大卫住在公寓
   C. 大卫的汉语好
5. 谁给大卫送回了他的手机？
   A. 李军　　B. 司机　　C. 朋友

第三十六课 广告栏上贴着一个通知

Dì-sānshíliù Kè Guǎnggàolán Shang Tiēzhe Yí Ge Tōngzhī

（在宿舍楼前）

玛　丽：宿舍楼门口围着一些人，发生了什么事？

中　村：走，过去看看。

玛　丽：啊，广告栏上贴着一个通知。

中　村：好像是一个活动的通知。

玛　丽：中村，有的字我不认识，你帮我读一下吧。

中　村：“九月二十日，国际交流学院将组织留学生去郊区参观，准备参加活动的同学，请带学生证到学院办公室报名。”学院要带我们去郊区参观。

玛　丽：太好了，什么时候报名？

中　村：下午两点到五点半。

玛　丽：在哪儿报名？

中　村：学院办公室。

玛　丽：要办什么手续？

中　村：带学生证就行了。

玛　丽：我马上就去拿。你回宿舍去吗？

中　村：不，我还有点儿事，你先上去吧。

通　知

为了鼓励大家积极参加体育运动，学校将在下个月举办春季“优胜杯”大学生篮球比赛，希望有兴趣的留学生朋友积极参加。

报名地点：36楼204室学生会体育部办公室。

电话：77654932。

Mǎlì: Sùshèlóu ménkǒu wéizhe yìxiē rén, fāshēngle shénme shì?

Zhōngcūn: Zǒu, guòqu kànkan.

Mǎlì: A, guǎnggàolán shang tiēzhe yí ge tōngzhī.

Zhōngcūn: Hǎoxiàng shì yí ge huódòng de tōngzhī.

Mǎlì: Zhōngcūn, yǒude zì wǒ bú rènshi, nǐ bāng wǒ dú yíxiàr ba.

Zhōngcūn: "Jiǔ yuè èrshí rì, guójì jiāoliú xuéyuàn jiāng zǔzhī liúxuéshēng qù jiāoqū cānguān, zhǔnbèi cānjiā huódòng de tóngxué, qǐng dài xuéshēngzhèng dào xuéyuàn bàngōngshì bào míng." Xuéyuàn yào dài wǒmen qù jiāoqū cānguān.

Mǎlì: Tài hǎo le, shénme shíhou bào míng?

Zhōngcūn: Xiàwǔ liǎng diǎn dào wǔ diǎn bàn.

Mǎlì: Zài nǎr bào míng?

Zhōngcūn: Xuéyuàn bàngōngshì.

Mǎlì: Yào bàn shénme shǒuxù?

Zhōngcūn: Dài xuéshēngzhèng jiù xíng le.

Mǎlì: Wǒ mǎshàng jiù qù ná. Nǐ huí sùshè qù ma?

Zhōngcūn: Bù, wǒ hái yǒudiǎnr shì, nǐ xiān shàngqu ba.

Tōngzhī

Wèile gǔlì dàjiā jījí cānjiā tǐyù yùndòng, xuéxiào jiāng zài xià ge yuè jǔbàn chūnjì "Yōushèng Bēi" dàxuéshēng lánqiú bǐsài, xīwàng yǒu xìngqù de liúxuéshēng péngyou jījí cānjiā.

Bào míng dìdiǎn: sānshíliù lóu èr-líng-sì shì xuéshēnghuì tǐyùbù bàngōngshì.

Diànhuà: qī-qī-liù-wǔ-sì-jiǔ-sān-èr.

New Words and Expressions 生词语

1. 广告	（名）	guǎnggào	advertisement
2. 栏	（名）	lán	column
广告栏		guǎnggàolán	classified
3. 贴	（动）	tiē	paste
4. 通知	（名）	tōngzhī	notice; circular

5. 围	（动）	wéi	enclose; surround
6. 发生	（动）	fāshēng	happen
7. 过去		guòqù	go over; pass by
8. 活动	（名）	huódòng	activity
9. 读	（动）	dú	read
10. 交流	（动）	jiāoliú	communicate
11. 学院	（名）	xuéyuàn	college
12. 将	（副）	jiāng	be going to
13. 组织	（动）	zǔzhī	organize
14. 郊区	（名）	jiāoqū	suburb
15. 参观	（动）	cānguān	visit (a place)
16. 学生证	（名）	xuéshēngzhèng	students' ID
17. 办公室	（名）	bàngōngshì	office
18. 办	（动）	bàn	handle
19. 手续	（名）	shǒuxù	procedure
20. 马上	（副）	mǎshàng	at once; immediately
21. 拿	（动）	ná	take
22. 为了	（介）	wèile	in order to
23. 鼓励	（动）	gǔlì	encourage
24. 积极	（形）	jījí	active
25. 体育	（名）	tǐyù	physical training
26. 运动	（名）	yùndòng	sports
27. 举办	（动）	jǔbàn	conduct; hold
28. 篮球	（名）	lánqiú	basketball
29. 地点	（名）	dìdiǎn	place; site
30. 部	（名）	bù	ministry

Proper Nouns

专有名词

优胜杯	Yōushèng Bēi	Cup of Yousheng

语言点 (Grammar Points)

一 存在句(2) (Existential Sentences)

"处所词 + V + 着 + NM + N",表示某处存在某人或某物。(This pattern is used to indicate that there is something or somebody in some place.)

例:1. 广告栏上贴着一个通知。

2. 黑板上写着几个字。

3. 教室门口站着两个人。

二 简单趋向补语 (Simple Directional Complement)

"V + 来/去" 表示动作的方向:"来" 表示向着说话人运动;"去"表示背着说话人运动。("V + 来/去" indicates the direction of the action. "来" indicates that the agent moves towards the speaker, while "去" indicates that the agent moves away from the speaker.)

常用的简单趋向补语见下表:

	进	上	下	出	过	回	起
来	+	+	+	+	+	+	+
去	+	+	+	+	+	+	−

例:1. 咱们过去看看。

2. 时间不早了,我该回去了。

3. 我在房间等你,你快回来吧。

V 带宾语时,宾语常放在 V 后、来/去的前边,即:"V + O + 来/去。"(When the verb takes an object, the object is often placed between the verb and the complement.)

例:1. 他在河那边等我们,咱们过桥去吧。

2. 你来晚了,他们已经回学校去了。

3. 他唱着歌上楼来了。

三 “为了”(In Order to)

“为了”多出现在句首。(This word is often used at the beginning of the sentence.)

例:1. 为了学习汉语,我到中国来了。

2. 为了提高口语水平,他常和中国朋友聊天儿。

3. 他为了能考上研究生,每天努力学习。

练习 Exercises

一 辨字组词 (Make Words or Phrases with the Given Characters)

活( ) 读( ) 为( ) 背( ) 运( )

话( ) 续( ) 办( ) 育( ) 远( )

二 选词填空 (Fill in the Blanks with the Following Words)

参加 参观

1. 我想报名( )太极拳班。
2. 昨天我和朋友们一起去( )了一个展览。
3. 学校鼓励同学们( )篮球比赛。
4. 我带你们( )一下儿学校的图书馆。

贴 围 办 发生 交流 组织 鼓励 举办

1. 父母总是( )我和弟弟积极参加体育运动。
2. 我们学校经常( )学生参加一些国际( )活动。
3. 玛丽宿舍的墙上( )着她们全家人的照片。
4. 我明年要去国外留学,现在正在( )手续呢。
5. ( )了什么事,为什么路上( )着那么多人?
6. 学院要( )一次篮球比赛,你想参加吗?

三 用“为了”连接A、B组成句 (Use “为了” to Link the Words of A, B Columns to Make Sentences)

A	B
练习听力	每天看电视
上网方便	买了电脑
锻炼身体	参加太极拳班
送父母回国	到了机场
给朋友做中国菜	学习包饺子
参加学校的活动	去办公室报名

四 用“处所词 + V + 着+O”组词成句 (Make Sentences with the Given Words)

1. 桌子上　放　磁带、书、本子和笔
2. 教室门口　站　学生
3. 广告栏上　贴　通知
4. 公共汽车里　坐　人
5. 词典上　写　大卫的名字

五 用指定词语问答 (Answer the Following Questions with the Given Words)

通知　组织　学院　参观　举办　交流　活动　比赛　办手续

1. 学校最近举办了什么活动或比赛？
2. 你最近参加了什么活动？
3. 如果有活动时，学校怎么通知你们？
4. 如果你想参加活动，应该去哪儿报名？

六 写作 (Composition)

学院最近想举办一次留学生和中国学生的网球比赛，时间是周六下午三点，地点是第二体育馆网球场。请模仿课文写一个通知。

七 用指定词语填图(Make Sentences with the Given Words According to the Pictures)

上去 下来 回来 回去 过去 过来 进去 进来
出去 出来

1. ____________

2. ____________

3. ____________

4. ____________

5. ____________

6. ____________

八 阅读理解（Reading Comprehension）

昨天晚上，我接到了大卫的电话，他说下午他在学校的广告栏上看到了一个通知，学校要组织留学生去郊区参观，准备参加活动的同学带学生证到办公室报名。他问我去不去。我来中国几个月了，可是大部分时间都呆在学校，我特别想去中国不同的地方看一看。所以今天一下课我就去办公室报名了。在办公室里，我遇到了玛丽，她和我一样，也想去郊区看看，能和朋友们一起去，我太高兴了。真希望能早点儿去。

根据短文，选择正确答案（Choose the Correct Answers）

1. 安娜是怎么知道学校的通知的？
   A. 大卫告诉她的　B. 玛丽告诉她的
   C. 她自己看到通知的
2. 安娜什么时候去办手续的？
   A. 昨天下午　B. 今天下课后　C. 昨天晚上
3. 安娜在哪儿遇到了玛丽？
   A. 教室　B. 办公室　C. 宿舍前
4. 安娜为什么想去郊区？
   A. 朋友们都去　B. 想去看不同的地方
   C. 想学汉语
5. 安娜去办公室干什么？
   A. 看朋友　B. 报名　C. 办回国手续

第三十七课 该换个大冰箱了

Dì-sānshíqī Kè Gāi Huàn Ge Dà Bīngxiāng le

(在超市)

张 红：妈，看，这些苹果红红的，多可爱，咱们买一点儿吧！报上说，吃苹果对身体有好处，不生病。

妈 妈：水果对身体都有好处。再说，咱们家的水果还没吃完呢。

张 红：您说的是橘子吧？太酸了，别吃了吧。

妈 妈：那天是谁说的，橘子有很多维生素C，对身体有好处，结果买了四斤，没有人吃。再说，天气这么热，水果也容易坏，吃完了再买吧。

张 红：那可以放在冰箱里呀。

妈 妈：咱们家那个冰箱，前两天就已经塞得满满的了。

张 红：看来该换个大冰箱了。

请大家来猜一下儿这是什么动物：它长得圆圆的、胖胖的，身上的毛是白色的，耳朵和四肢是黑色的，眼睛周围还有一个黑黑的眼圈，像戴了一副墨镜，非常可爱。它主要在中国的西南地区生活，最喜欢吃的食物是竹子。猜出来了吗？对了，它就是大熊猫。

Zhāng Hóng：Mā, kàn, zhèxiē píngguǒ hónghóngde, duō kě'ài, zánmen mǎi yìdiǎnr ba! Bàoshang shuō chī píngguǒ duì shēntǐ yǒu hǎochu, bù shēng bìng.

Māma：Shuǐguǒ duì shēntǐ dōu yǒu hǎochu. Zàishuō, zánmen jiā de shuǐguǒ hái méi chīwán ne.

Zhāng Hóng: Nín shuō de shì júzi ba? Tài suān le, bié chīle ba.

Māma: Nà tiān shì shéi shuō de, júzi yǒu hěn duō wéishēngsù C, duì shēntǐ yǒu hǎochu, jiéguǒ mǎile sì jīn, méiyǒu rén chī. Zàishuò, tiānqì zhème rè, shuǐguǒ yě róngyì huài, chīwánle zài mǎi ba.

Zhāng Hóng: Nà kěyǐ fàngzài bīngxiāng li ya.

Māma: Zánmen jiā nàge bīngxiāng, qián liǎng tiān jiù yǐjing sāi de mǎnmǎnde le.

Zhāng Hóng: Kànlái gāi huàn ge dà bīngxiāng le.

Qǐng dàjiā lái cāi yíxiàr zhè shì shénme dòngwù: tā zhǎng de yuányuánde, pàngpàngde, shēnshang de máo shì báisè de, ěrduo hé sìzhī shì hēisè de, yǎnjing zhōuwéi hái yǒu yí ge hēihēide yǎnquān, xiàng dàile yí fù mòjìng, fēicháng kě'ài. Tā zhǔyào zài Zhōngguó de Xīnán Dìqū shēnghuó, zuì xǐhuan chī de shíwù shì zhúzi. Cāi chulai le ma? Duì le, tā jiùshì dàxióngmāo.

New Words and Expressions 生词语

1. 该	(助动)	gāi	should
2. 冰箱	(名)	bīngxiāng	refrigerator
3. 苹果	(名)	píngguǒ	apple
4. 报	(名)	bào	newspaper
5. 水果	(名)	shuǐguǒ	fruit
6. 再说	(连)	zàishuō	and then; furthermore
7. 橘子	(名)	júzi	orange
8. 酸	(形)	suān	sour; tart
9. 维生素	(名)	wéishēngsù	vitamin
10. 结果	(名)	jiéguǒ	result
11. 放	(动)	fàng	put
12. 塞	(动)	sāi	fill; stuff in
13. 满	(形)	mǎn	full
14. 猜	(动)	cāi	guess
15. 动物	(名)	dòngwù	animal
16. 胖	(形)	pàng	fat
17. 毛	(名)	máo	fur

18. 耳朵	(名)	ěrduo	ear
19. 四肢	(名)	sìzhī	four limbs; arms and legs
20. 眼圈	(名)	yǎnquān	rim of the eye
21. 戴	(动)	dài	wear
22. 副	(量)	fù	*a measure word for glasses*
23. 墨镜	(名)	mòjìng	sunglasses
24. 食物	(名)	shíwù	food
25. 竹子	(名)	zhúzi	bamboo
26. 出来		chūlái	out
27. 熊猫	(名)	xióngmāo	panda

Proper Nouns

专有名词

西南地区	Xīnán Dìqū	South-west Region of China

语言点 (Grammar Points)

一 形容词重叠 (Adj. Reduplication)

表示程度深或加强的描写，有时有喜爱的色彩。(When the adj. word is reduplicated, it indicates a deep degree, usually with affection. It is usually used to make a description.)

(一) 单音节形容词重叠式：A → AA 的。

如：高 → 高高的 = 很/非常高

红 → 红红的 = 很/非常红

(二) 双音节形容词的重叠式：AB → AABB 的。

如：干净 → 干干净净的 = 很/非常干净

舒服 → 舒舒服服的 = 很/非常舒服

例：1. 这套公寓干干净净的，离学校又不远，我很满意。

2. 他的女朋友头发长长的，眼睛大大的，很漂亮。

3. 公共汽车上人挤得满满的，还是打车吧。

4. 我听得清清楚楚的，明天有听写。

二 “V_1再V_2”

表明V_2所表示的动作行为是在完成V_1以后。(再 indicates that the second action takes place after the first action.)

例：1. 你应该吃了药再睡觉。

2. 我正在写作业呢，写完作业再去玩儿。

3. 妈妈说等爸爸回来再吃饭。

三 “该……了”

表示应该做某事了。(It's time for somebody to do something.)

例：1. 时间不早了，我该回去了。

2. 十一点了，该睡觉了，明天还要上课呢。

3. 三月了，天气该暖和了。

四 “再说……” (Furthermore)

表示附加理由。(This word is used to introduce the additional reason. Usually the previous reason(s) is/are more important than the latter.)

例：1. 这件衣服对我不合适，再说我也没那么多钱。

2. 我今天有点儿累，再说外面还下着雨，明天再去散步吧。

3. 旅行可以认识新朋友，也可以练习汉语，再说，还可以吃到很多地方的好吃的东西。

练 习 Exercises

一 辨字组词 (Make Words or Phrases with the Given Characters)

冰(　　) 报(　　) 维(　　) 境(　　) 园(　　)
泳(　　) 服(　　) 谁(　　) 镜(　　) 圆(　　)

二 请写出你所知道的词语 (Try Your Best to Write down Words that You have Learned)

1. 动物：熊猫 ______ ______ ______ ______
2. 饮料：可乐 ______ ______ ______ ______
3. 家用电器：冰箱 ______ ______ ______ ______

三 选词填空 (Fill in the Blanks with the Following Words)

放　塞　猜　戴　换　满

1. (　)这副墨镜样子有点儿老，(　)一副吧。
2. 你(　)，你的手机(　)在哪儿了？你放到报纸下面了。
3. 我的书包太(　)了，(　)到你的书包里吧。

四 把下列形容词变成重叠式，并分别造句 (Change the Adjectives into Reduplication Forms and then Make Sentences)

1. 多 →
2. 短 →
3. 远 →
4. 简单 →
5. 热闹 →
6. 漂亮 →

五 用指定格式完成对话 (Complete the Dialogues with the Given Expressions)

1. A：你不是去看电影了吗？怎么回来了？
   B：______________________________。(结果)
2. A：小王和他的女朋友毕业以后怎么样了？
   B：______________________________。(结果)
3. A：听说今晚的电影很不错，你没去看吗？
   B：______________________________。(再说)
4. A：你的航班是几点的？
   B：______________________________。(该……了)
5. A：你好像很喜欢吃火锅？
   B：______________________________。(对……有好处)

六 用"V_1……再 V_2"连接 A、B 两组词语 (Use "再" to Link the Words of A, B Columns)

A	B
跑完步	打太极拳
去医院看完病	去学校上课
看完电视	写作业
看完比赛	吃晚饭
下了课	去邮局取包裹
找到公寓	搬家

七 用指定词语问答 (Answer the Following Questions with the Given Words)

水果　食物　维生素　有好处　可爱　容易　地区

1. 你最喜欢吃什么水果？为什么？
2. 你最不喜欢吃什么食物？为什么？
3. 你最喜欢什么动物？为什么？

八 阅读与写作 (Reading and Composition)

(一) 请猜出下面的谜语

1. 猜一种水果

　　有一种水果，样子圆圆的，皮是黄黄的，里面有很多小朋友围在一起，它的味道是酸酸甜甜的。听说它有很多维生素 C，多吃就不容易感冒，对人的身体很有好处。猜出来了吗？

2. 猜一种动物

　　这种动物身体很大：四肢粗粗的，像柱子一样；耳朵大大的，像扇子一样；鼻子长长的，还有两颗很大的牙。它很聪明，也很勤劳，常常帮助人们干活儿，在泰国和印度比较多。知道它是什么动物了吗？

(二) 请描述一种水果或动物的样子，让大家猜 (Try to Describe a Kind of Fruits(or Animals), and Let Your Classmates to Guess What It Is)

Additional Vocabulary 补充词语

1. 粗	(形)	cū	thick
2. 柱子	(名)	zhùzi	pillar
3. 扇子	(名)	shànzi	fan
4. 勤劳	(形)	qínláo	diligent
5. 印度	(名)	Yìndù	India

第三十八课 比赛很精彩

Dì-sānshíbā Kè Bǐsài Hěn Jīngcǎi

(在赛场外)

玛 丽：今天的足球比赛怎么样？

李 军：非常精彩。

玛 丽：你们赢了？

大 卫：没有。

玛 丽：那一定是输了？

李 军：也没有，二比二，踢平了。

大 卫：都怪我，浪费了那么好的射门机会，要是踢进去，胜利就是我们的了。

玛 丽：踢平已经很不简单了。走，今天我请你们吃饭。

大 卫：明天踢完再一块儿请吧。我有点儿累，想回宿舍洗个澡，休息一下儿。

玛 丽：明天的对手是谁？

李 军：数学系，听说挺厉害的。

玛 丽：没关系，明天我和安娜去给你们加油。

李 军：太好了。有你们在，我们一定能赢。

早上闹钟响了，可是我没听见，醒来一看，已经是七点四十了。我急忙从床上爬起来，到楼下一推自行车，没气了。没办法，我只好扔下自行车，跑到公共汽车站，发现每辆车都是满满的，我好不容易才挤了上去。可是车刚走了两站就坏了。我只好下来，打了一辆出租车，倒霉的是又堵车了，慢得像乌龟爬。就这样，我终于迟到了。

Mǎlì： Jīntiān de zúqiú bǐsài zěnmeyàng?

Lǐ Jūn： Fēicháng jīngcǎi.

Mǎlì： Nǐmen yíng le?

Dàwèi： Méiyǒu.

Mǎlì： Nà yídìng shì shū le?

Lǐ Jūn： Yě méiyǒu, èr bǐ èr, tīpíng le.

Dàwèi： Dōu guài wǒ, làngfèile nàme hǎo de shè mén jīhuì, yàoshi tī jinqu, shènglì jiùshì wǒmen de le.

Mǎlì： Tīpíng yǐjing hěn bù jiǎndān le. Zǒu, jīntiān wǒ qǐng nǐmen chī fàn.

Dàwèi： Míngtiān tīwán zài yíkuàir qǐng ba. Wǒ yǒudiǎnr lèi, xiǎng huí sùshè xǐ ge zǎo, xiūxi yíxiàr.

Mǎlì： Míngtiān de duìshǒu shì shuí?

Lǐ Jūn： Shùxuéxì, tīngshuō tǐng lìhai de.

Mǎlì： Méi guānxi, míngtiān wǒ hé Ānnà qù gěi nǐmen jiā yóu.

Lǐ Jūn： Tài hǎo le. Yǒu nǐmen zài, wǒmen yídìng néng yíng.

Zǎoshang nàozhōng xiǎng le, kěshì wǒ méi tīngjiàn, xǐnglái yí kàn, yǐjing shì qī diǎn sìshí le. Wǒ jímáng cóng chuángshang pá qilai, dào lóuxià yì tuī zìxíngchē, méi qì le. Méi bànfǎ, wǒ zhǐhǎo rēngxià zìxíngchē, pǎodào gōnggòng qìchēzhàn, fāxiàn měi liàng chē dōu shì mǎnmǎnde, wǒ hǎo bù róngyì cái jǐle shangqu. Kěshì chē gāng zǒule liǎng zhàn jiù huài le. Wǒ zhǐhǎo xiàlai, dǎle yí liàng chūzūchē, dǎoméi de shì yòu dǔ chē le, màn de xiàng wūguī pá. Jiù zhèyàng, wǒ zhōngyú chídào le.

New Words and Expressions 生词语

1. 精彩	（形）	jīngcǎi	wonderful
2. 赢	（动）	yíng	win
3. 输	（动）	shū	lose; be beaten
4. 踢	（动）	tī	kick; play
5. 平	（形）	píng	flat; even
6. 怪	（动）	guài	blame; complain
7. 浪费	（动）	làngfèi	waste
8. 射门		shè mén	shoot (at the goal)
9. 胜利	（名）	shènglì	victory

10. 一块儿		yíkuàir	together
11. 洗澡		xǐ zǎo	take a bath; take a shower
12. 对手	(名)	duìshǒu	opponent
13. 数学	(名)	shùxué	mathematics
14. 厉害	(形)	lìhai	tough
15. 加油		jiā yóu	cheer; (encourage sb. to) make an extra effort
16. 响	(动)	xiǎng	ring; make a sound
17. 听见		tīngjiàn	hear
18. 醒	(动)	xǐng	awaken; be awake
19. 急忙	(副)	jímáng	in a hurry
20. 爬	(动)	pá	crawl
21. 起来		qǐlái	*used after verbs to indicate upward movement*
22. 推	(动)	tuī	push
23. 气	(名)	qì	air
24. 扔	(动)	rēng	throw
25. 上去		shàngqù	upward
26. 下来		xiàlái	come down
27. 乌龟	(名)	wūguī	tortoise

语言点 (Grammar Points)

一 复合趋向补语 (Compound Directional Complement)

复合趋向补语用在动词后面表示动作的趋向。(Compound directional complements are also used after verbs to indicate the direction of the verbs.)常见的复合趋向补语见下表：

		上	下	进	出	回	过	起
V+	来	+	+	+	+	+	+	+
	去	+	+	+	+	+	+	–

例：1. 他很快地跑上去了。

2. 弟弟从树上跳下来了。

3. 孩子摔(shuāi/tumble)倒了，妈妈让他自己爬起来。

注意：宾语的位置和简单趋向补语同。(When the verb takes an object, the object should be put just before "来" or "去".)即："V + 上/下/进/出/回/过 +O + 来/去"，"V + 起 + O + 来"。

例：1. 老师走进教室去了。

2. 大卫飞回美国去了。

3. 汽车开过桥来了。

二 "一V，……"

表示V的动作行为以后，出现或发现了新的情况。(This pattern indicates that after the first action, the speaker finds out a new sitution or a new situation occurs.)

例：1. 早上有人敲门，我打开门一看，是大卫。

2. 安娜拿起电话一听，是妈妈打来的。

3. 他做好了饭，我一尝，有点儿辣。

三 "好容易/好不容易才……"

表示很不容易才获得结果或达到目的。(This phrase is used to indicate that it takes great effort to achieve some target.)

例：1. 我听了好几遍，好容易才听懂。

2. 今天的作业很多，我好不容易才写完。

3. 衣服很脏，妈妈好不容易才洗干净。

练习 Exercises

一 辨字组词 (Make Words or Phrases with the Given Characters)

精(　　) 操(　　) 厉(　　) 醒(　　) 踢(　　)
猜(　　) 澡(　　) 历(　　) 酸(　　) 跟(　　)

二 写出反义词 (Write Antonyms to the Given Words)

输—— 好—— 进去—— 上去——

三 选词填空 (Fill in the Blanks with the Following Words)

精彩 简单 厉害 倒霉 加油 浪费 洗澡 胜利

1. 明天我们去给你们球队(　　),你们一定会(　　)的。
2. 昨天的足球比赛太(　　)了,特别是那个九号真(　　),一个人进了三个球。
3. (　　)的时候水放小一点儿,别(　　)水。
4. 真(　　),这么(　　)的问题都回答错了。

四 连接A、B组词语,组成复合趋向补语(不限一组),并分别造句 (Link the Words of A, B Columns and then Make Sentences)

A	B
跑	上来/去
爬	下来/去
搬	进来/去
贴	出来/去
放	过来
拾	过去
踢	回来
推	起来
扔	回去

五 用"一V,……"格式完成下列句子 (Complete the Sentences with"一V,……")

1. ________________,原来是大卫找我。
2. ________________,下雪了。
3. ________________,这次考试不太难。
4. ________________,今天的车票卖完了。

六 用指定格式完成对话 (Complete the Dialogues with the Given Expressions)

1. A:这本书你看完了吗?
   B:________________。(好不容易)
2. A:听说昨天你们和数学系打平了?
   B:________________。(好容易)
3. A:听说你们的飞机晚点了,是为什么呢?
   B:________________。(就这样)
4. A:你怎么感冒了?
   B:________________。(刚……就)
5. A:冰箱里的水果好像坏了吧?
   B:________________。(怪……)
6. A:真倒霉,我的自行车又没气了。
   B:________________。(只好)

七 用指定词语问答 (Answer the Following Questions with the Given Words)

精彩 赢 平 射门 胜利 厉害 对手 加油
倒霉 堵车 迟到

1. 你喜欢体育运动吗?最喜欢什么运动?
2. 请讲述一下儿你参加过或看过的一场体育比赛。
3. 你遇到过倒霉的事吗?请给大家讲一下儿。

八 阅读理解 (Reading Comprehension)

上周末,留学生队和中文系学生队举行了一场足球比赛。大卫和李军都参加了，玛丽和安娜去给他们加油。大家都踢得很不错，比赛也很精彩。比赛的结果是两个队二比二踢平了，没有输赢。在那天的比赛中，李军非常厉害，踢进了两个球。大卫踢得也不错，不过，他错过了一次射门的机会，他觉得很后悔。

根据短文选择正确答案 (Choose the Correct Answers)

1. 中文系学生队和留学生队举行了什么比赛？
   A. 篮球　　B. 网球　　C. 足球
2. 比赛的结果怎么样？
   A. 打平了　　B. 中文系赢了　　C. 留学生队赢了
3. 谁踢进了两个球？
   A. 大卫　　B. 李军　　C. 玛丽
4. 大卫为什么觉得后悔？
   A. 踢平了　　B. 留学生队输了　　C. 错过了射门机会
5. 那天谁没有去给球队加油？
   A. 玛丽　　B. 中村　　C. 安娜

Additional Vocabulary 补充词语

1. 后悔	(形)	hòuhuǐ	regretful
2. 错过	(动)	cuòguò	miss

第三十九课　我进不去了

Dì-sānshíjiǔ Kè　Wǒ Jìn Bú Qù le

(在教学楼前)

张　红：李军，你的腿怎么了？为什么一拐一拐的？

李　军：咳，别提了，都因为钥匙。

张　红：什么钥匙？

李　军：房间钥匙。我忘了带钥匙，进不去了。

张　红：那你等一下儿同屋嘛。

李　军：比赛马上要开始了，我怕来不及，就从窗户爬进去了。

张　红：你们的房间在三层，你怎么爬进去的？

李　军：我们隔壁是水房。我从水房窗户爬过去的。

张　红：那多危险啊！

李　军：还算顺利。不过往房间里跳时，一下子摔倒了，你看，就变成现在这个样子了。

有一个人眼睛近视，常常看不清楚东西。一天，他回家后，脱下衬衫挂在墙上，可是衣服掉在了地上，原来那个地方没有钉子，是一只苍蝇，苍蝇立刻就飞走了。夜里，有只蚊子飞来飞去，他睡不着觉，就爬起来打蚊子。他看到墙上落着一只蚊子，就轻轻地走过去，一巴掌打下去——突然，感到手非常疼。原来墙上是一个钉子，不是蚊子。

Zhāng Hóng: Lǐ Jūn, nǐ de tuǐ zěnme le? Wéi shenme yì guǎi yì guǎi de?
Lǐ Jūn: Hāi, bié tí le, dōu yīnwèi yàoshi.
Zhāng Hóng: Shénme yàoshi?
Lǐ Jūn: Fángjiān yàoshi. Wǒ wàngle dài yàoshi, jìn bú qù le.
Zhāng Hóng: Nà nǐ děng yíxiàr tóngwū ma.
Lǐ Jūn: Bǐsài mǎshàng yào kāishǐ le, wǒ pà láibují, jiù cóng chuānghu pá jinqu le.
Zhāng Hóng: Nǐmen de fángjiān zài sān céng, nǐ zěnme pá jinqu de?
Lǐ Jūn: Wǒmen gébì shì shuǐfáng. Wǒ cóng shuǐfáng chuānghu pá guoqu de.
Zhāng Hóng: Nà duō wēixiǎn a!
Lǐ Jūn: Hái suàn shùnlì. Búguò wǎng fángjiān li tiào shí, yíxiàzi shuāidǎo le, nǐ kàn, jiù biànchéng xiànzài zhège yàngzi le.

Yǒu yí ge rén yǎnjing jìnshì, chángcháng kàn bù qīngchu dōngxi. Yì tiān, tā huí jiā hòu, tuōxià chènshān guàzài qiángshang, kěshì yīfu diàozàile dìshang, yuánlái nàge dìfang méiyǒu dīngzi, shì yì zhī cāngying, cāngying lìkè jiù fēizǒu le. Yèli, yǒu zhī wénzi fēi lái fēi qù, tā shuì bù zháo jiào, jiù pá qilai dǎ wénzi. Tā kàndào qiángshang làozhe yì zhī wénzi, jiù qīngqīng de zǒu guoqu, yì bāzhang dǎ xiaqu—tūrán, gǎndào shǒu fēicháng téng. Yuánlái qiángshang shì yí ge dīngzi, bú shì wénzi.

New Words and Expressions 生词语

1. 腿	(名)	tuǐ	leg
2. 拐	(动)	guǎi	limp
3. 来不及		láibují	there's not enough time
4. 窗户	(名)	chuānghu	window
5. 层	(量)	céng	*a measure word*, storey; floor
6. 隔壁	(名)	gébì	next door
7. 水房	(名)	shuǐfáng	washing room
8. 危险	(形)	wēixiǎn	dangerous
9. 往	(介)	wǎng	towards
10. 跳	(动)	tiào	jump
11. 一下子		yíxiàzi	all at once; all of a sudden
12. 摔	(动)	shuāi	tumble; fall

13. 变成		biànchéng	turn into
14. 近视	(形)	jìnshì	short-sighted
15. 清楚	(形)	qīngchu	clear
16. 脱	(动)	tuō	take off
17. 挂	(动)	guà	hang
18. 墙	(名)	qiáng	wall
19. 掉	(动)	diào	fall; drop
20. 只	(量)	zhī	*a measure word for some animals, boots or utensils*
21. 苍蝇	(名)	cāngying	fly
22. 立刻	(副)	lìkè	at once
23. 飞	(动)	fēi	fly
24. 蚊子	(名)	wénzi	mosquito
25. 落	(动)	lào	go down; fall
26. 轻	(形)	qīng	light
27. 巴掌	(名)	bāzhang	palm; hand
28. 突然	(形)	tūrán	suddenly
29. 钉子	(名)	dīngzi	nail

语言点 (Grammar Points)

一 可能补语 (Potential Complement)

结果补语和趋向补语之前加上“得/不”构成可能补语，表示结果能否实现。(A potential complement is formed by a result complement or directional complement with “得/不”preceded, indicating the possibility of realizing the result.)

(一) 结果补语：洗干净→洗得干净(能洗干净)→洗不干净(不能洗干净)

听懂→听得懂(能听懂)→听不懂(不能听懂)

(二) 趋向补语：进去→进得去(能进去)→进不去(不能进去)

起来→起得来(能起来)→起不来(不能起来)

例：1. 这件衣服太脏了，洗不干净。

2. 她说话太快了，我听不懂。

3. 我忘了带钥匙，进不去了。

4. 早上八点上课，太早了，我起不来。

二 "V来V去"

"V来V去"表示相同的动作行为多次重复。(This pattern indicates that an action takes place many times.)

例：1. 孩子们在房间里跑来跑去。

2. 球踢来踢去，就是踢不进球门。

3. 她想来想去，也不知道该怎么办。

三 "往"

"往+方位词+V"表示动作的方向。(This word is used before locational words for indicating the direction.)

例：1. 往前走，走五分钟左右就到图书馆了。

2. 先往北走，再往西拐，就是银行。

3. 射门就是往球门里踢球。

练 习 Exercises

一 辨字组词 (Make Words or Phrases with the Given Characters)

匙(　　) 轻(　　) 掌(　　) 钥(　　) 拐(　　)
题(　　) 经(　　) 拿(　　) 阴(　　) 拾(　　)

二 写出近义词 (Write Near-synonyms to the Given Words)

立刻——　　　　厉害——　　　　突然——
胜利——　　　　巴掌——

三 选词填空 (Fill in the Blanks with the Following Words)

危险　清楚　突然　立刻　顺利

快下班时,(　　)下雨了。朋友打电话让我去接她。接到电话,我(　　)开车出门。因为下雨,看不(　　)路,有点儿(　　),不过还好,一路都很(　　),没出什么事情。

挂　摔　跳　落　飞　脱　拐　掉

1. 我(　　)下衣服,(　　)在墙上,可是风一吹衣服就(　　)在地上了。
2. 他从树上往下(　　),不小心(　　)倒了,今天走路有点儿(　　)。
3. 窗户外面有一只小鸟(　　)过来,(　　)在了我的窗户前。

四 将下列补语改成可能补语并造句 (Change the Following Complements into Potential Complements and Making Sentences)

例:洗干净→洗得干净/洗不干净 →衣服太脏了,洗不干净。
1. 听见 →
2. 做完 →
3. 看清楚 →
4. 买到 →

5. 爬上去 →
6. 踢进去 →
7. 跳起来 →
8. 开过去 →

五 用"V来V去"完成句子 (Complete the Sentences with "V来V去")

1. 今晚的电视没有意思,________________。
2. 他很喜欢唱歌,可是________________。
3. 我的家有几条金鱼,________________。
4. ________________,我觉得这两个专业都不错。
5. ________________,还是这家餐厅的饭菜又便宜又好吃。

六 用指定格式完成对话 (Complete the Dialogues with the Given Expressions)

1. A:你不认识我了吗?我是你的小学同学呀。
   B:________________。(一下子)
2. A:我们现在出发,应该没问题吧?
   B:________________。(来得/不及)
3. A:听说王老师生病住院了。
   B:________________。(突然)
4. A:同学,我想去图书馆,你知道该怎么走吗?
   B:________________。(往)

七 用指定词语问答 (Answer the Following Questions with the Given Words)

清楚　危险　来不及　立刻　刺痛

1. 你觉得什么事情比较危险?
2. 你或你的朋友近视吗?请讲一下儿近视的苦恼和趣事。
3. 你爬过窗户吗?如果有,是为什么?
4. 如果你没带房间钥匙,你会怎么办?

八 阅读理解（Reading Comprehension）

有三个人，名叫张三、李四和王五，都是近视眼，常常看不清楚东西，但是他们都不愿意承认。一天，他们听说有座庙第二天早上要挂一块新匾，就约好去看，谁能看清匾上的字，谁的眼睛就最好。张三晚上睡不着，就爬起来跑到庙里，问庙里的人匾上的字是什么，那个人告诉他了。李四也睡不着，也爬起来去问庙里的人匾上写的字，不过他还问了是谁写的字。王五和张三、李四一样，也去问了匾上的字，还问了写匾的年月日。第二天，他们三个人一见面，每个人都说看清了匾上的字，但是他们旁边的人都笑了起来，因为新匾还没挂出来呢。

根据上文回答问题（Answer the Questions）

1. 张三、李四、王五都有什么毛病？
2. 他们约好了什么事情？
3. 张三怎么知道匾上的字的？
4. 李四和张三知道的内容一样吗？
5. 王五为了知道匾上的字，做了什么？
6. 第二天，听了他们的对话，旁边的人为什么都笑了？

Additional Vocabulary 补充词语

1. 承认	（动）	chéngrèn	admit; acknowledge
2. 庙	（名）	miào	temple
3. 匾	（名）	biǎn	a horizontal board inscribed with words of praise

第四十课 山上 的风景 美极 了

Dì-sìshí Kè Shānshang de Fēngjǐng Měijí le

(在宿舍)

中　村：玛丽，周末去农村的旅行怎么样？

玛　丽：很不错。上午我们先参观了一所敬老院，然后参观了一所幼儿园，我们和孩子们一起唱歌、跳舞、做游戏，非常有意思。

中　村：去农民家了吗？

玛　丽：去了，我们还在农民家吃饭了呢。

中　村：后来去别的地方了吗？

玛　丽：下午我们去爬了附近的一座山，山上有古老的长城，非常雄伟。

中　村：是什么山？

玛　丽：想不起它的名字来了，听说是那个地区最高的山，有几百米高吧。

中　村：那么高，你爬得上去吗？

玛　丽：在朋友们的鼓励下，我好不容易才爬了上去。从山上往远处一看，美极了：蓝蓝的天，白白的云，红红的花，绿绿的草，小鸟在天上飞来飞去……真像一幅风景画儿。

中　村：听你这么一说，我真后悔没有去。

玛　丽：没关系，我照了很多相片，可以送给你。

玛丽宿舍的墙上贴着一张照片，这是玛丽在长城的风景照。照片上蓝天白云，阳光灿烂，古老的长城像一条巨龙卧在山峰上，高高低低，朝远处延伸出去，非常壮观。玛丽站在高高的城墙上，笑得很开心，右手的食指和中指摆成V字，她身上穿着一件T恤衫，上面写着一行字："我登上了长城。"

Zhōngcūn: Mǎlì, zhōumò qù nóngcūn de lǚxíng zěnmeyàng?

Mǎlì: Hěn búcuò. Shàngwǔ wǒmen xiān cānguānle yì suǒ jìnglǎoyuàn, ránhòu cānguānle yì suǒ yòu'éryuán, wǒmen hé háizimen yìqǐ chàng gē, tiào wǔ, zuò yóuxì, fēicháng yǒu yìsi.

Zhōngcūn: Qù nóngmín jiā le ma?

Mǎlì: Qù le, wǒmen hái zài nóngmín jiā chī fàn le ne.

Zhōngcūn: Hòulái qù biéde dìfang le ma?

Mǎlì: Xiàwǔ wǒmen qù pále fùjìn de yí zuò shān, shānshang yǒu gǔlǎo de Chángchéng, fēicháng xióngwěi.

Zhōngcūn: Shì shénme shān?

Mǎlì: Xiǎng bù qǐ tā de míngzi lái le, tīngshuō shì nàge dìqū zuì gāo de shān, yǒu jǐ bǎi mǐ gāo ba.

Zhōngcūn: Nàme gāo, nǐ pá de shangqu ma?

Mǎlì: Zài péngyoumen de gǔlì xià, wǒ hǎo bù róngyì cái pále shangqu. Cóng shānshang wǎng yuǎnchù yí kàn, měijí le: lánlán de tiān, báibái de yún, hónghóng de huā, lǜlǜ de cǎo, xiǎoniǎo zài tiānshang fēi lái fēi qù... Zhēn xiàng yì fú fēngjǐnghuàr.

Zhōngcūn: Tīng nǐ zhème yì shuō, wǒ zhēn hòuhuǐ méiyǒu qù.

Mǎlì: Méi guānxi, wǒ zhàole hěn duō xiàngpiàn, kěyǐ sòng gěi nǐ.

Mǎlì sùshè de qiángshang tiēzhe yì zhāng zhàopiàn, zhè shì Mǎlì zài Chángchéng de fēngjǐngzhào. Zhàopiàn shang lán tiān bái yún, yángguāng cànlàn, gǔlǎo de Chángchéng xiàng yì tiáo jùlóng wòzài shānfēng shang, gāogāodīdī, cháo yuǎnchù yánshēn chuqu, fēicháng zhuàngguān. Mǎlì zhànzài gāogāo de chéngqiáng shang, xiào de hěn kāixīn, yòushǒu de shízhǐ hé zhōngzhǐ bǎichéng V zì, tā shēnshang chuānzhe yí jiàn T-xùshān, shàngmian xiězhe yì háng zì: "Wǒ dēng shang le Chángchéng."

New Words and Expressions 生词语

1. 农村	（名）	nóngcūn	village
2. 所	（量）	suǒ	*a measure word for houses, schools, buildings, etc.*
3. 敬老院	（名）	jìnglǎoyuàn	old folks' home; home for the aged

4. 幼儿园	(名)	yòu'éryuán	kindergarten; nursery school
5. 游戏	(名)	yóuxì	game
6. 农民	(名)	nóngmín	farmer
7. 山	(名)	shān	mountain; hill
8. 古老	(形)	gǔlǎo	ancient; age-old
9. 雄伟	(形)	xióngwěi	grand; imposing and great
10. 百	(数)	bǎi	hundred
11. 云	(名)	yún	cloud
12. 草	(名)	cǎo	grass
13. 鸟	(名)	niǎo	bird
14. 幅	(量)	fú	*a measure word for pictures, scrolls, etc.*
15. 后悔	(动)	hòuhuǐ	regret
16. 阳光	(名)	yángguāng	sunlight
17. 灿烂	(形)	cànlàn	brilliant; glorious
18. 巨龙	(名)	jùlóng	huge dragon
19. 卧	(动)	wò	lie; crouch
20. 山峰	(名)	shānfēng	mountain peak
21. 朝	(介)	cháo	towards
22. 延伸	(动)	yánshēn	extend; stretch
23. 站	(动)	zhàn	stand
24. 笑	(动)	xiào	smile; laugh
25. 右	(名)	yòu	right
26. 食指	(名)	shízhǐ	index finger
27. 中指	(名)	zhōngzhǐ	middle finger
28. 摆	(动)	bǎi	lay; set
29. T恤衫	(名)	T-xùshān	T-shirt
30. 行	(量)	háng	*a measure word;* line; row

31. 登 （动） dēng ascend; mount

专有名词

长城 Chángchéng the Great Wall

单元语言点小结（Summary of Grammar Points）

语言点	课数	例句
1. 存在句(2)	36	墙上挂着一幅画。
2. 简单趋向补语	36	咱们过去看看吧。
3. “为了……”	36	为了学习汉语，我来中国留学。
4. 形容词重叠	37	她头发长长的，眼睛大大的，很漂亮。
5. “V_1 再 V_2”	37	写完作业再去玩儿。
6. “该……了”	37	时间不早了，我该回去了。
7. “再说……”	37	这家餐厅的菜很好吃，再说，价钱也不贵。
8. 复合趋向补语	38	他急急忙忙地跑上楼去了。
9. “一V，……”	38	我拿起电话一听，是老师打来的。
10. “好容易/好不容易才……”	38	车站人很多，我好不容易才买到车票。
11. 可能补语	39	那座山太高了，我爬不上去。
12. “V来V去”	39	看来看去，这些衣服我都不喜欢。
13. “往……”	39	往前走，到路口再往左拐，就到了。

练 习 Exercises

一 辨字组词（Make Words or Phrases with the Given Characters）

农（　　） 老（　　） 村（　　） 栏（　　） 区（　　）

衣(　　)　考(　　)　衬(　　)　烂(　　)　巨(　　)

二　填写量词 (Write the Measure Words)

一(　)出租车　　一(　)蚊子　　一(　)照片
一(　)幼儿园　　一(　)墨镜　　一(　)巨龙
一(　)字　　一(　)冰箱　　一(　)通知

三　连线练习 (Link the Words of the A, B Columns)

A	B
登	东西
挂	长城
扔	通知
摆	衣服
脱	球门
射	眼镜
贴	鲜花
戴	画儿

A	B
参观	食物
举办	活动
组织	时间
浪费	球队
塞满	比赛
听见	农村
参加	声音

四　选词填空 (Fill in the Blanks with the Following Words)

危险　灿烂　雄伟　清楚　突然　厉害　精彩　后悔

1. 事情发生得很(　　)，我不知道应该怎么办。
2. 晚上一个人出去有点儿(　　)，应该和朋友一起出去。
3. 昨天的比赛很(　　)，他们一共踢进了四个球，你没有去看一定很(　　)。
4. 今天蓝天白云，阳光(　　)，是个难得的好天气。
5. 那座山有六千多米高，非常(　　)。
6. 他真是(　　)，汉语说得又(　　)又流利。

上去　下来　回去　过去　进来　出去　起来

1. 谁呀，请(　　)。
2. 外面下雨了，今天别(　　)了。
3. 明天学校组织我们去郊区参观，我要早点儿(　　)。
4. 爬长城真的很累，爬(　　)再走(　　)，腿疼死了。
5. 河那么宽，我们游不(　　)。

6. 天都黑了，咱们(　　)吧。

的　地　得

1. 这是我(　　)T恤衫，不是他(　　)。
2. 朋友送给我(　　)闹钟很漂亮。
3. 真是一次很精彩(　　)比赛！
4. 他轻轻(　　)走过去。
5. 快考试了，你复习(　　)怎么样了？
6. 我们都听(　　)见，没关系。

五　用指定词语或格式改写下列句子(Rewrite the Sentences with the Given Expressions)

1. 我接到一封信，打开以后，才知道是老同学寄来的。
   → ________________ (一V，……)
2. 这盒磁带我听了很多次，好像每首歌都差不多。
   → ________________ (V来V去)
3. 他点的菜太多了，我们努力吃才吃完。
   → ________________ (好不容易)
4. 王老师的孩子今年六岁，到了上学的年纪。
   → ________________ (该……了)
5. 我今天肚子不舒服，也不喜欢热闹，就不去参加联欢会了。
   → ________________ (再说……)
6. 爸爸努力工作，是想让孩子们生活得好一些。
   → ________________ (为了……)
7. 现在不能出发，大卫还没有来。
   → ________________ (V_1再V_2)
8. 大卫的房间有一张大照片，是大卫射门的照片，很漂亮。
   → ________________ (V着O)

六　用指定格式完成对话 (Complete the Dialogues with the Given Expressions)

1. A：这件行李太重了，我帮你一起拿吧。
   B：________________。(V得/不上去)

2. A：你怎么知道这个通知的？大卫告诉你的吗？
   B：不是，________________。（V 着 O）
3. A：听说那儿的风景很漂亮，是吗？
   B：________________。（AA）
4. A：你这么努力学习，是要考研究生吗？
   B：________________。（为了……）
5. A：这个字是什么意思？
   B：________________。（想不起来）
6. A：下雨了，你还去跑步吗？
   B：________________。（V_1 再 V_2）
7. A：你为什么想换专业？
   B：________________。（再说）
8. A：大家都不知道他在哪儿，你是怎么找到他的？
   B：________________。（好不容易才）

七 用指定词语问答 (Answer the Following Questions with the Given Words)

农村　农民　幼儿园　游戏　灿烂　古老　雄伟　风景　笑　摆

1. 你去过中国的农村吗？你想像中的农村是什么样子？
2. 你去过幼儿园吗？孩子们在幼儿园做什么？
3. 请描述一张你最喜欢的风景照片。

八 阅读理解 (Reading Comprehension)

最近，我和同学们参加了学校组织的活动。我们参观了郊区农村的幼儿园、敬老院，还参观了小学和做衣服的工厂。我最难忘的是在农民家吃饭。他们做了很多菜。这些菜都是他们自己种的，很新鲜，所以味道好极了。农民们很热情，一直和我们聊天儿，也一直劝我们喝酒，结果我差一点儿喝醉了。只是我的汉语水平还不太高，他们说的很多话我还听不懂。我决心好好儿学习汉语，以后有机会再去农村。

根据短文选择正确答案（Choose the Correct Answers）

1. 他们没去________参观？

   A. 幼儿园　B. 农民家　C. 敬老院　D. 公司

2. 他们参观的工厂是做________的。

   A. 衬衫　B. 牛仔裤　C. T 恤衫　D. 衣服

3. 农民家的菜是________。

   A. 自己种的　B. 商店买的　C. 朋友送的

4. 农民做的菜不________。

   A. 好吃　B. 新鲜　C. 难吃

5. 他们喝了酒以后，________。

   A. 都喝醉了　B. 有一个人喝醉了　C. 都没喝醉

Additional Vocabulary 补充词语

1. 工厂	（名）	gōngchǎng	factory; mill
2. 难忘	（形）	nánwàng	unforgetable
3. 种	（动）	zhòng	plant
4. 决心	（动）	juéxīn	make up one's mind

第四十一课　西红柿 炒 鸡蛋

Dì-sìshíyī　Kè　Xīhóngshì Chǎo Jīdàn

张　红：玛丽，你不是想学做中国菜吗？今天我就教你做一个中国的家常菜。

玛　丽："家常菜"是什么菜呀？

张　红：家常菜就是中国人平时在家里常吃的菜。

玛　丽：好呀，我就想学做在家里吃的菜。对了，做什么菜呀？

张　红：西红柿炒鸡蛋，又好吃又好学，咱们一起做怎么样？

玛　丽：行，我做什么？

张　红：来，把鸡蛋打到这个碗里，用筷子搅拌均匀，再把西红柿切成小块儿。

玛　丽：你看这么大行吗？

张　红：挺好。你把火点着，把锅放在火上，往锅里倒点儿油，把鸡蛋放进去炒一下儿，倒出来。再放一点儿油，把西红柿放进锅里炒熟，把炒好的鸡蛋放进去，别忘了加点儿白糖，最后再加点儿盐。好了，尝尝，怎么样？

（在厨房）

玛　丽：嗯，又好看又好吃，真不错！

张　红：是啊，这就是中国菜的特点：看起来漂亮，闻起来很香，吃起来好吃。

玛　丽：就是做起来不太容易。

西红柿炒鸡蛋

原料：西红柿500克，鸡蛋2个，油50克，白糖25克，盐5克，水淀粉15克。

做法：1. 把西红柿洗干净，切成小块儿；把鸡蛋打进碗里，加一点儿盐，用热油炒好。

2. 把油放进锅里，油热后放进西红柿、鸡蛋，搅拌均匀后加白糖和盐，再搅拌几下，开锅后迅速加进水淀粉，就好了。

特点：甜咸可口，营养丰富。

Zhāng Hóng: Mǎlì, nǐ bú shì xiǎng xué zuò Zhōngguócài ma? Jīntiān wǒ jiù jiāo nǐ zuò yí ge Zhōngguó de jiāchángcài.

Mǎlì: "Jiāchángcài "shì shénme cài ya?

Zhāng Hóng: Jiāchángcài jiùshì Zhōngguórén píngshí zài jiāli cháng chī de cài.

Mǎlì: Hǎo ya, wǒ jiù xiǎng xué zuò zài jiāli chī de cài. Duì le, zuò shénme cài ya?

Zhāng Hóng: Xīhóngshì chǎo jīdàn, yòu hǎochī yòu hǎoxué, zánmen yìqǐ zuò zěnmeyàng?

Mǎlì: Xíng, wǒ zuò shénme?

Zhāng Hóng: Lái, bǎ jīdàn dǎdào zhège wǎnli, yòng kuàizi jiǎobàn jūnyún, zài bǎ xīhóngshì qiēchéng xiǎo kuàir.

Mǎlì: Nǐ kàn zhème dà xíng ma?

Zhāng Hóng: Tǐng hǎo. Nǐ bǎ huǒ diǎnzháo, bǎ guō fàngzài huǒshang, wǎng guōli dào diǎnr yóu, bǎ jīdàn fàng jinqu chǎo yíxiàr, dào chulai. Zài fàng yìdiǎnr yóu, bǎ xīhóngshì fàngjìn guōli chǎoshóu, bǎ chǎohǎo de jīdàn fàng jinqu, bié wàngle jiā diǎnr báitáng, zuìhòu zài jiā diǎnr yán. Hǎo le, chángchang, zěnmeyàng?

Mǎlì: Ǹg, yòu hǎokàn yòu hǎochī, zhēn búcuò!

Zhāng Hóng: Shì a, zhè jiùshì Zhōngguócài de tèdiǎn: kàn qilai piàoliang, wén qilai hěn xiāng, chī qilai hǎochī.

Mǎlì: Jiùshì zuò qilai bú tài róngyì.

Xīhóngshì Chǎo Jīdàn

Yuánliào：Xīhóngshì wǔbǎi kè, jīdàn liǎng ge, yóu wǔshí kè, báitáng èrshíwǔ kè, yán wǔ kè, shuǐdiànfěn shíwǔ kè.

Zuòfǎ：1. Bǎ xīhóngshì xǐ gānjìng, qiēchéng xiǎo kuàir; bǎ jīdàn dǎjìn wǎnli, jiā yìdiǎnr yán, yòng rè yóu chǎohǎo.

2. Bǎ yóu fàngjìn guōli, yóu rè hòu fàngjìn xīhóngshì, jīdàn, jiǎobàn jūnyún hòu jiā báitáng hé yán, zài jiǎobàn jǐ xiàr, kāi guō hòu xùnsù jiājìn shuǐdiànfěn, jiù hǎo le.

Tèdiǎn：Tián xián kěkǒu, yíngyǎng fēngfù.

New Words and Expressions 生词语

1. 西红柿	（名）	xīhóngshì	tomato
2. 炒	（动）	chǎo	(stir-) fry
3. 鸡蛋	（名）	jīdàn	egg
4. 教	（动）	jiāo	teach
5. 家常菜	（名）	jiāchángcài	home-made dish (food)
6. 把	（介）	bǎ	*used to introduce an object to put it before the main verb in the sentence*
7. 筷子	（名）	kuàizi	chopstick
8. 搅拌	（动）	jiǎobàn	mix; stir
9. 均匀	（形）	jūnyún	well-distributed
10. 切	（动）	qiē	cut
11. 块儿	（名）	kuàir	piece
12. 火	（名）	huǒ	fire
13. 点着		diǎnzháo	light a fire
14. 锅	（名）	guō	pot; wok
15. 油	（名）	yóu	oil
16. 熟	（动）	shóu	cooked
17. 加	（动）	jiā	add
18. 白糖	（名）	báitáng	white sugar

19. 最后	(名)	zuìhòu	final; at last
20. 盐	(名)	yán	salt
21. 尝	(动)	cháng	taste
22. 特点	(名)	tèdiǎn	characteristic
23. 闻	(动)	wén	smell
24. 香	(形)	xiāng	appetizing; delicious
25. 原料	(名)	yuánliào	raw material
26. 克	(量)	kè	gram
27. 淀粉	(名)	diànfěn	starch
28. 做法	(名)	zuòfǎ	way of handling
29. 迅速	(形)	xùnsù	rapid; speedy
30. 咸	(形)	xián	salted;salty
31. 可口	(形)	kěkǒu	tasty
32. 营养	(名)	yíngyǎng	nutrition
33. 丰富	(形)	fēngfù	rich; abundant

语言点 (Grammar Points)

一 "又……又……"

连接形容词或动词,表示两种性质状态或动作行为同时存在。(This pattern is used to connect adjectives or verbs, indicating two states or actions occur at the same time.)

例:1. 他长得又高又大,他的女朋友又聪明又漂亮。

2. 他写汉字写得又快又好。

3. 那个孩子又唱又跳,高兴极了。

二 "把"字句(1) ("把" Sentence)

(一) "S+把+N_1+V+在/到/给/成+N_2"

表示通过 V 使 N_1 变成 N_2 表示的位置或状态。(This

pattern is used to express that the position or the status of N_1 is changed into N_2 through the action.)

例：1. 你把鸡蛋打到这个碗里。

2. 他把锅放在了火上。

3. 我把西红柿切成小块儿了。

4. 你把那本书带给王老师了吗？

（二）“把+N+V+补语”

表示通过动作达到某种目的或目标。(This pattern is used to indicate that a target is achieved after the action.)

例：1. 你把这件衣服洗干净。

2. 请把西红柿炒熟。

3. 把这个字再写一遍。

三 “V+起来”

“V+起来”除了表示动作的趋向以外，还有以下的引申用法：

（一）表开始并继续。(To indicate that an action begins and continues.)

例：1. 他一听就笑了起来。

2. 快下班时，突然下起雨来了。

（二）用于引出评价或判断。(Used before an evaluation or judgement.)

例：1. 出国留学的手续听起来简单，其实很麻烦。

2. 这套公寓离学校不远，又很干净，看起来挺不错的。

四 “就是”

（一）对前面的事物进行解释、说明。(Used to expound the previous objects.)

例：1. 北大，就是北京大学。

2. “二锅头”，就是一种很厉害的中国白酒。

（二）指出不足的方面，语气较委婉。(Used to point out the shortcoming with a mild tone.)

例：1. 这个菜很好吃，就是太辣了。
　　2. 那套公寓不错，就是离学校太远了。

练习 Exercises

一 辨字组词 (Make Words or Phrases with the Given Characters)

拌（　　） 往（　　） 煮（　　） 营（　　） 单（　　）
胖（　　） 住（　　） 熟（　　） 常（　　） 草（　　）

二 用适当的词语填空 (Fill in the Blanks with Appropriate Words)

切（　　） 炒（　　） 加（　　） 点（　　） 教（　　）
尝（　　） 煮（　　） 闻（　　） 倒（　　） 搅拌（　　）

三 选词填空 (Fill in the Blanks with the Following Words)

迅速　可口　丰富　好看　好吃　熟　香

1. 在中国的留学生活非常（　　），每个星期都有不同的安排。
2. 他做的菜色、（　　）、味都很好，又（　　）又（　　）。
3. 菜要炒（　　）才能吃，没炒熟的菜对人身体没好处。
4. 这家餐厅的菜味道（　　），价钱公道，我们都喜欢去。
5. 听到爸爸生病的消息，他（　　）办好了回国手续。

特点　做法　营养　原料　家常菜

这个（　　）的（　　）就是：（　　）简单，（　　）也挺便宜，（　　）还很丰富。

四 连接A、B两组词语，组成“把”字句 (Use “把” to Link the Words of A, B Columns to Make Sentences)

A	B
衣服	洗干净
学生证	拿出来
照片	送给朋友
自行车	摔坏
菜	切成小块儿
通知	贴在墙上
足球	踢进门
蚊子	打死

五 把下列句子改成“把”字句 (Rewrite the Sentences with“把”)

1. 我做完了作业。
   → ________________________________
2. 你收拾好行李了吗？
   → ________________________________
3. 你的自行车我放在车棚里了。
   → ________________________________
4. 你写错了，这是“日”，你写成了“目”。
   → ________________________________
5. 这是刘老师的书，请你给他好吗？
   → ________________________________

六 选择适当的词语组成“又……又……”格式 (Choose the Appropriate Words to Make up “又……又……” Sentence Pattern)

1. 他又聪明又__________。(快乐/高兴)
2. 这家饭馆的菜又便宜又__________。(好吃/好看)
3. 我们的老师很好，讲课又清楚又__________。(流利/明白)
4. 万里长城又雄伟又__________。(壮观/古老)
5. 他高兴得又唱又__________(跑/走/跳)。

七 用指定词语完成对话 (Complete the Dialogues with the Given Expressions)

1. A：今天的天气好像不太好。
   B：是呀，______________________。(V 起来)
2. A：“HSK”是什么考试呀？
   B：______________________。(就是)
3. A：看她包饺子包得又快又好，我也想试试。
   B：______________________。(V 起来)
4. A：你的身体真棒，每天都锻炼吗？
   B：______________________。(平时)
5. A：你觉得那家餐厅怎么样？
   B：______________________。(就是)

八 用指定词语问答 (Answer the Following Questions with the Given Words)

家常菜　炒　煮　切　锅　油　盐　淀粉
营养　可口　味道　咸　甜　辣

1. 请介绍一个你最喜欢吃的菜，并把菜谱写下来。
2. 你觉得中国菜怎么样，有什么特点？

九 阅读理解 (Reading Comprehension)

酸辣土豆丝

原料：土豆 500 克，干红辣椒 2 个，醋 2 大勺，酱油 1 大勺，鲜汤半碗，青蒜苗、盐、味精、料酒、白糖、葱丝、姜丝、水淀粉、辣椒油适量。

做法：1. 把土豆洗干净，切成细丝，泡入凉水中；把青蒜苗洗干净，切成 3 厘米长的段；把干红辣椒用水泡一下儿，切成细丝。

2. 把炒锅放到火上，加入油，烧热以后，放入干红辣椒丝，变成褐色时放入葱、姜丝炒一下儿，放入醋，然后放入土豆丝翻炒几下。

3. 放入酱油、料酒、盐、白糖、鲜汤翻炒，土豆快熟时，加入青蒜苗、味精拌炒，再倒入水淀粉、辣椒油翻炒均匀，就可以了。

根据这个菜谱，试着做一个酸辣土豆丝。(Try to cook it!)

Additional Vocabulary 补充词语

1. 土豆	（名）	tǔdòu	potato
2. 辣椒	（名）	làjiāo	hot pepper
3. 醋	（名）	cù	vinegar
4. 酱油	（名）	jiàngyóu	soya sauce
5. 味精	（名）	wèijīng	MSG
6. 葱	（名）	cōng	green Chinese onion
7. 姜	（名）	jiāng	ginger

第四十二课 搬家

Dì-sìshí'èr Kè Bān Jiā

(在公寓)

大 卫：劳驾，请把这些纸箱子搬到那儿，注意按纸箱子上的号码放好，不要把顺序弄乱了。

工 人：好。电视放在哪儿？

大 卫：先放在桌子上吧。小心，很重，别把手碰了。

工 人：先生，您的东西都在这儿了。

大 卫：谢谢，你们辛苦了。

(在电话里)

公 司：保洁公司，需要我们为您服务吗？

大 卫：我刚搬完家，家里比较脏，想请你们来收拾一下。

公 司：好，请把您的姓名、地址和电话号码告诉我们。先生贵姓？

大 卫：免贵，我叫大卫，住在华美小区3号楼2单元1603号，我的手机号码是13691350769，你们明天下午两点来，好吗？

公 司：好，明天下午见。

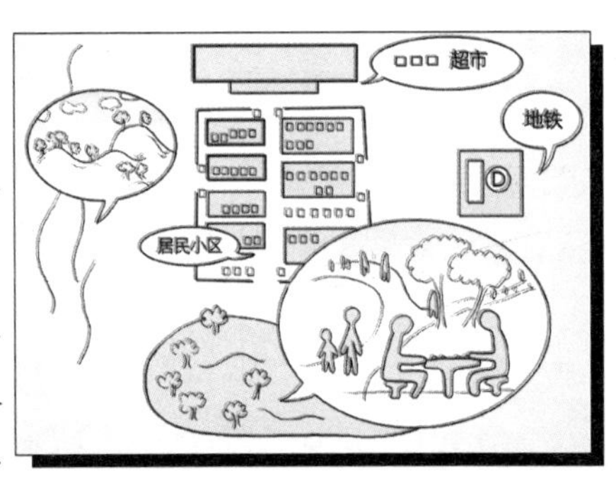

我看中了一套房子。这套房子离学校不太远，在一个居民小区里。小区的南边是一个小公园，每天有很多人在这儿散步、下棋。北边有一个大超市，买东西很方便。东边离地铁站不远，西边没有房子，远远地可以看到西山，风景很漂亮。我很满意，认为条件不错。虽然房租有点儿贵，但还是决定马上搬家。

Dàwèi: Láo jià, qǐng bǎ zhèxiē zhǐ xiāngzi bāndào nàr, zhùyì àn zhǐ xiāngzi shang de hàomǎ fànghǎo, bú yào bǎ shùnxù nòngluàn le.

Gōngrén: Hǎo. Diànshì fàng zài nǎr?

Dàwèi: Xiān fàngzài zhuōzi shang ba. Xiǎoxīn, hěn zhòng, bié bǎ shǒu pèng le.

Gōngrén: Xiānsheng, nín de dōngxi dōu zài zhèr le.

Dàwèi: Xièxie, nǐmen xīnkǔ le.

Gōngsī: Bǎojié gōngsī, xūyào wǒmen wèi nín fúwù ma?

Dàwèi: Wǒ gāng bānwán jiā, jiāli bǐjiào zāng, xiǎng qǐng nǐmen lái shōushi yíxiàr.

Gōngsī: Hǎo, qǐng bǎ nín de xìngmíng, dìzhǐ hé diànhuà hàomǎ gàosu wǒmen. Xiānsheng guì xìng?

Dàwèi: Miǎn guì, wǒ jiào Dàwèi, zhùzài Huáměi Xiǎoqū sān hào lóu èr dānyuán yāo-liù-líng-sān hào, wǒ de shǒujī hàomǎ shì yāo-sān-liù-jiǔ-yāo-sān-wǔ-líng-qī-liù-jiǔ, nǐmen míngtiān xiàwǔ liǎng diǎn lái, hǎo ma?

Gōngsī: Hǎo, míngtiān xiàwǔ jiàn.

Wǒ kànzhòngle yí tào fángzi. Zhè tào fángzi lí xuéxiào bú tài yuǎn, zài yí ge jūmín xiǎoqū li. Xiǎoqū de nánbian shì yí ge xiǎo gōngyuán, měi tiān yǒu hěn duō rén zài zhèr sàn bù, xià qí. Běibian yǒu yí ge dà chāoshì, mǎi dōngxi hěn fāngbiàn. Dōngbian lí dìtiězhàn bù yuǎn, xībian méiyǒu fángzi, yuǎnyuǎn de kěyǐ kàndào Xī Shān, fēngjǐng hěn piàoliang. Wǒ hěn mǎnyì, rènwéi tiáojiàn búcuò. Suīrán fángzū yǒudiǎnr guì, dàn háishi juédìng mǎshàng bān jiā.

New Words and Expressions 生词语

1. 劳驾		láo jià	excuse me
2. 纸	(名)	zhǐ	paper
3. 箱子	(名)	xiāngzi	box
4. 按	(介)	àn	according to
5. 顺序	(名)	shùnxù	order; sequence
6. 弄	(动)	nòng	do; make
7. 乱	(形)	luàn	in disorder
8. 桌子	(名)	zhuōzi	table
9. 小心	(形)	xiǎoxīn	be careful

10. 重	(形)	zhòng	heavy
11. 碰	(动)	pèng	touch
12. 先生	(名)	xiānsheng	mister; sir
13. 辛苦	(形)	xīnkǔ	hard; laborious
14. 保洁公司		bǎojié gōngsī	sanitation company
15. 服务	(动)	fúwù	serve; service
16. 姓名	(名)	xìngmíng	full name
17. 地址	(名)	dìzhǐ	address
18. 小区	(名)	xiǎoqū	residential compound
19. 单元	(名)	dānyuán	unit (of house, text book, etc.)
20. 看中		kànzhòng	take a fancy to
21. 居民	(名)	jūmín	resident; dweller
22. 南边	(名)	nánbian	southside
23. 公园	(名)	gōngyuán	park
24. 下棋		xià qí	play chess
25. 站	(名)	zhàn	stop; station
26. 满意	(形)	mǎnyì	satisfied
27. 认为	(动)	rènwéi	consider
28. 条件	(名)	tiáojiàn	condition
29. 虽然	(连)	suīrán	though; although
30. 但是	(连)	dànshì	but

Proper Nouns

专有名词

1. 华美小区	Huáměi Xiǎoqū	Huamei Residential Complex
2. 西山	Xī Shān	Xi Mountain

语言点 (Grammar Points)

一 “把”字句(2) (“把” Sentences)

“把”字句中有否定词或能愿动词时，否定词或能愿动词应该放在“把”的前面。(When there are modal verbs or negative words in “把” sentences, they should be put before “把”.)

例：1. 他今天没把作业做完。

2. 别把电视摔坏了。

3. 你应该把药吃了再睡觉。

4. 我一定要把这件事告诉老师。

5. 你不能把孩子一个人留在家里。

二 “虽然……但是……”

表示转折关系。(Although; But)

例：1. 虽然我会说几句汉语，但是我的汉字还不行。

2. 饺子虽然好吃，但是包起来太麻烦了。

3. 虽然天气不太好，但是他还去跑步了。

练习 Exercises

一 辨字组词 (Make Words or Phrases with the Given Characters)

司(　　) 居(　　) 起(　　) 期(　　) 条(　　)

同(　　) 苦(　　) 超(　　) 棋(　　) 务(　　)

二 请给下列动词填上适当的补语 (Write the Complements of the Verbs)

例：听__见__

放_____ 弄_____ 碰_____ 看_____ 搬_____

切_____ 做_____ 炒_____ 教_____ 打_____

三 选词填空 (Fill in the Blanks with the Following Words)

辛苦 需要 小心 服务 满意 认为

1. 爸爸上班很(　　),我给他倒一杯茶,让他休息一下儿。
2. 开车上山有些危险,应该(　　)。
3. 大卫对保洁公司的(　　)非常(　　)。
4. 我(　　),朋友就是在你(　　)的时候能帮你的人。

条件 顺序 姓名 超市 小区 居民

1. 我觉得这个(　　)的居住(　　)不错,附近有很多公共汽车站,离地铁站也不远。旁边还有一个大(　　),买东西也很方便。住在这儿的(　　)很多是大学老师,邻居也不错。
2. 中国人(　　)的(　　)和欧美人不一样:中国人是姓在前面,名在后面;欧美人是名在前面,姓在后面。

四 把下列"把"字句变成否定句 (Change the Following "把" Sentences into Negative Ones)

1. 哥哥把碗摔了。
   →____________________
2. 把学生证给他。
   →____________________
3. 弟弟把行李搬到公寓去了。
   →____________________
4. 我应该把鸡蛋打到碗里。
   →____________________
5. 他想把花送给张红。
   →____________________

五 用"虽然……但是……"连接A、B组成句（Use "虽然……但是……" to Link the Words of A, B Columns）

A	B
这件衣服很漂亮	价钱太贵了
我想去世界旅游	没有钱
他眼睛近视	不喜欢戴眼镜
我很想去	明天有考试
水果对身体有好处	只吃水果也不好

六 用指定格式完成对话（Complete the Dialogues with the Given Expressions）

1. A：你的电视怎么了？
   B：______________________。（弄）
2. A：______________________？（看中）
   B：我觉得挺不错的。
3. A：我给你介绍的那个女朋友怎么样？
   B：______________________。（条件）
4. A：你明天跟我一起去参加联欢会吧。
   B：______________________。（还是）
5. A：______________________？（劳驾）
   B：往前走，到路口往右一拐就到了。
6. A：你怎么找到我这儿的？
   B：______________________。（按……）

七 用指定词语问答（Answer the Following Questions with the Given Words）

小区　单元　公寓　超市　地铁站　公园　房租
搬家　服务　需要　收拾

1. 你希望住在什么样的小区里？
2. 你如果搬家，是请朋友帮忙还是找搬家公司？
3. 搬家时应该注意什么？

八 阅读理解（Reading Comprehension）

玛丽最近在网上看到一个启事。上面说有人因为孩子出国留学了，家里房子比较多，想租房子的留学生可以和他们联系。玛丽看了以后很高兴，马上就给他们打了电话。房东请玛丽到家里谈谈。玛丽按地址找到了他们的家。这是一个漂亮的小区，有树、有草、有花，还有一条小河，环境很不错，玛丽很满意。另外，小区里有超市、餐馆、药店等，生活也很方便，就是离玛丽的学校比较远，骑车要三十多分钟。不过玛丽觉得虽然远一点儿，但是环境更重要，再说房租也不贵，她决定下个星期就搬家。

判断正误 (True or False)

1. 那家的人都出国留学了。□
2. 玛丽自己找到了房东的家。□
3. 这个小区的风景很好，但是生活不太方便。□
4. 这个小区周围有车站、超市，还有药店，环境不错。□
5. 这个小区离玛丽的学校比较远，坐车要四十分钟。□
6. 因为房租很便宜，所以玛丽决定搬家。□

Additional Vocabulary 补充词语

1. 房东 （名） fángdōng landlord or landlady
2. 药店 （名） yàodiàn drugstore; chemist's shop

第四十三课　一封 信

Dì-sìshísān　Kè　　Yì Fēng Xìn

刘老师：

您好！

您的信我收到了，但是因为忙，也因为我的汉语不好，过了这么久才给您写信，请您原谅。您一切都好吧？

转眼我到中国已经半年多了。去年9月刚来中国时，我听不懂也看不懂，也没有朋友，非常难过。现在我的汉语水平有了一定程度的提高，也交了不少朋友，不但有中国的，而且还有世界各地的，我们一起学习，互相帮助，每天都过得很开心。汉语学习也越来越有意思了。开始上课时，我不习惯老师说汉语，只能听懂百分之四五十，因为我没学过简化字，有很多不认识。但是我每天努力学习，不懂就问老师和同学，所以我的进步很快。现在我已经能用汉语进行一般的会话，上课也能听懂四分之三了。最重要的是我越来越喜欢汉语了，我想将来找一个和中国有关系的工作。

生活也基本没问题了。刚来时我不习惯吃中国菜，觉得油太多，也看不懂菜单，只好常常去吃麦当劳。现在我不但习惯了吃中餐，还会做几个地道的中国菜呢。等我回去以后一定做给你们吃。

我以前打算今年8月回国，但是我现在决定延长一年，到明年8月再回国。在这一年里，我想多了解一点儿中国文化，多交一些朋友。

老师的工作顺利吗？祝您身体健康！

您的学生：玛丽

2004年4月10日

Liú lǎoshī：

Nín hǎo!

Nín de xìn wǒ shōudào le， dànshì yīnwèi máng，yě yīnwèi wǒ de Hànyǔ bù hǎo，guòle zhème jiǔ cái gěi nín xiě xìn，qǐng nín yuánliàng. Nín yíqiè dōu hǎo ba?

Zhuǎnyǎn wǒ dào Zhōngguó yǐjing bàn nián duō le. Qùnián jiǔ yuè gāng lái Zhōngguó shí， wǒ tīng bù dǒng yě kàn bù dǒng， yě méiyǒu péngyou， fēicháng nánguò. Xiànzài wǒ de Hànyǔ shuǐpíng yǒule yídìng chéngdù de tígāo， yě jiāole bù shǎo péngyou， búdàn yǒu Zhōngguóde， érqiě hái yǒu shìjiègèdìde， wǒmen yìqǐ xuéxí，hùxiāng bāngzhù， měi tiān dōu guò de hěn kāixīn. Hànyǔ xuéxí yě yuèláiyuè yǒuyìsi le. Kāishǐ shàng kè shí，wǒ bù xíguàn lǎoshī shuō Hànyǔ，zhǐnéng tīngdǒng bǎifēnzhī sì-wǔshí，yīnwèi wǒ méi xuéguo jiǎnhuàzì，yǒu hěn duō bú rènshi. Dànshì wǒ měi tiān nǔlì xuéxí， bù dǒng jiù wèn lǎoshī hé tóngxué， suǒyǐ wǒ de jìnbù hěn kuài. Xiànzài wǒ yǐjing néng yòng Hànyǔ jìnxíng yìbān de huìhuà，shàng kè yě néng tīngdǒng sì fēnzhī sān le. Zuì zhòngyào de shì wǒ yuèláiyuè xǐhuan Hànyǔ le， wǒ xiǎng jiānglái zhǎo yí ge hé Zhōngguó yǒu guānxi de gōngzuò.

Shēnghuó yě jīběn méi wèntí le. Gāng lái shí wǒ bù xíguàn chī Zhōngguócài，juéde yóu tài duō， yě kàn bù dǒng càidān， zhǐhǎo chángcháng qù chī Màidāngláo. Xiànzài wǒ búdàn xíguànle chī zhōngcān，hái huì zuò jǐ ge dìdao de Zhōngguócài ne. Děng wǒ huíqu yǐhòu yídìng zuò gěi nǐmen chī.

Wǒ yǐqián dǎsuan jīnnián bā yuè huí guó，dànshì wǒ xiànzài juédìng yáncháng yì nián，dào míngnián bā yuè zài huí guó. Zài zhè yì nián li，wǒ xiǎng duō liǎojiě yìdiǎnr Zhōngguó wénhuà，duō jiāo yìxiē péngyou.

Lǎoshī de gōngzuò shùnlì ma? Zhù nín shēntǐ jiànkāng!

Nín de xuésheng：Mǎlì
Èr-líng-líng-sì nián sì yuè shí rì

New Words and Expressions 生词语

1. 封	（量）	fēng	*a measure word for letters*
2. 收到		shōudào	receive
3. 原谅	（动）	yuánliàng	forgive; pardon
4. 一切	（名）	yíqiè	everything; all
5. 转眼	（副）	zhuǎnyǎn	in the blink of an eye
6. 去年	（名）	qùnián	last year
7. 难过	（形）	nánguò	feel sad; feel bad or sorry

8. 程度	（名）	chéngdù	degree
9. 提高	（动）	tígāo	raise; improve
10. 交	（动）	jiāo	make (friends) with
11. 不但	（连）	búdàn	not only
12. 而且	（连）	érqiě	but also
13. 各	（代）	gè	various;each
14. 互相	（副）	hùxiāng	each other
15. 越来越		yuèláiyuè	more and more
16. …分之…		...fēnzhī...	percent
17. 简化字	（名）	jiǎnhuàzì	simplified Chinese characters
18. 进行	（动）	jìnxíng	carry out; carry on
19. 会话	（动）	huìhuà	dialogue; conversation
20. 将来	（名）	jiānglái	future
21. 基本	（形）	jīběn	on the whole; basic; fundamental
22. 菜单	（名）	càidān	menu
23. 中餐	（名）	zhōngcān	Chinese food
24. 地道	（形）	dìdao	genuine; authentic
25. 今年	（名）	jīnnián	this year
26. 延长	（动）	yáncháng	prolong
27. 明年	（名）	míngnián	next year
28. 了解	（动）	liǎojiě	comprehend; understand
29. 文化	（名）	wénhuà	culture
30. 健康	（形）	jiànkāng	healthy

语言点 (Grammar points)

一 "不但……而且……" (Not only... but also...)

"不但"可以和"而且"、"还"、"也"等搭配，组成递进关系的复句。注意主语的位置。("不但"can be used together with "而且"、"还"、"也",forming a compound sentence with progressing meaning. Pay attention to the position of the subject.)

例：1. 她不但会唱中文歌，而且会跳民族舞。

1.' 不但她会唱中文歌，玛丽也唱会中文歌。

2. 他不但参加了比赛，还得了第一名。

2.' 不但他参加了比赛，李军也参加了比赛。

3. 他不但是我的老师，也是我的朋友。

3.' 不但他是我的朋友，李军也是我的朋友。

二 "越来越……" (More and More)

"越来越+adj. / V"表示事物的程度随着时间的推移而变化。(This expression is used to indicate that the degree is varied as time passes.)

例：1. 夏天快到了，天气越来越热了。

2. 到中国以后，我好像越来越胖了。

3. 我越来越喜欢打太极拳。

4. 玛丽越来越习惯吃中国菜了。

三 小数、分数和百分数 (Decimal Number, Fractional Number and Percentage)

数字	汉字的写法	汉语的读法
0.8	零点八	líng diǎn bā
32. 58	三十二点五八	sānshíèr diǎn wǔ-bā
2/3	三分之二	sān fēnzhī èr

4/5	五分之四	wǔ fēnzhī sì
6%	百分之六	bǎi fēnzhī liù
70%	百分之七十	bǎi fēnzhī qīshí

例：1. 听中国人聊天儿，我只能听懂百分之二三十。
2. 我们班三分之一的学生是男生。
3. 超市的东西比购物中心便宜五分之一。

练 习 Exercises

一 辨字组词 (Make Words or Phrases with the Given Characters)

体(　　)　封(　　)　助(　　)　基(　　)　谅(　　)
休(　　)　对(　　)　切(　　)　塞(　　)　凉(　　)

二 连线练习 (Link the Words of the A,B Columns)

A	B
提高	外国朋友
交	这个汉字
习惯	一封来信
收到	汉语水平
进行	中国文化
了解	汉语会话
认识	吃中国菜

三 选词填空 (Fill in the Blanks with the Following Words)

难过　努力　基本　地道　顺利　健康　开心

1. 她每天(　　)学习，现在汉语说得很(　　)，她很(　　)。
2. 为了身体(　　)，他常常打太极拳。

3. 我(　　)习惯了这儿的生活，工作学习都很(　　)。
4. 别(　　)，这次考得不好，下次再努力。

有关系　没关系　有意思　没意思

1. 这件事是小王做的，和我(　　)。
2. 他告诉我这个电影很(　　)，可是我觉得(　　)，看了一半就走了。
3. 学好了汉语，我想找一个和中国(　　)的工作。

四 读出下列数字 (Read the Numerals)

1.25	78.3	1/6	2/7	25%	74%
3.1415	68.21	3/20	1/15	98%	100%

五 用"不但……而且/还/也"组成完整的句子 (Use"不但……而且/还/也"to Link the Words of A, B Columns to Make Sentences)

A	B
打篮球	踢足球
他去	我去
中国菜	日本菜
汽车站	地铁站
爬山	爬到山顶
包饺子	包得很快

六 用"越来越……"改写 (Rewrite the Sentences with "越来越……")

1. 王老师的女儿今年比去年漂亮。
→ ______________________________
2. 你今天做的菜比以前好吃。
→ ______________________________
3. 我们的课比以前难了。
→ ______________________________
4. 雨没有停，好像更大了。
→ ______________________________

5. 我对中国的生活基本习惯了，有人说我是半个中国人了。
→ ________________

6. 他的汉语水平比刚来中国时高多了。
→ ________________

七 用指定词语完成对话 (Complete the Dialogues with the Given Expressions)

1. A：你跟小王的关系怎么样了，她不生气了吧？
   B：________________。（原谅）
2. A：________________？（一切）
   B：都办好了，下个星期就可以出发了。
3. A：大卫，你今天怎么没去参加玛丽的生日晚会？
   B：________________。（而且）
4. A：他学习真努力，现在听力水平已经提高了很多。
   B：________________。（基本）
5. A：这个菜的味道怎么样？
   B：________________。（地道）

八 用指定词语进行问答 (Answer the Following Questions with the Given Words)

转眼　难过　程度　提高　交朋友　互相　会话
交流　习惯　生活上

1. 你刚来中国的时候有什么困难？
2. 你上课的时候怎么样？
3. 你觉得你的汉语进步了吗？
4. 你学习汉语时，最难的是什么？
5. 你生活上遇到过什么问题吗？

九 写作 (Composition)

请模仿课文，给老师、家人或朋友写一封信。注意书写的格式。

第四十四课　成功　需要 多长　时间

Dì-sìshísì　Kè　Chénggōng Xūyào Duōcháng Shíjiān

大　卫：画家朋友，听说你在美术比赛中得了第一名。请给我们介绍一下儿你是怎么成功的，好吗？

画　家：怎么说呢？很多人以为成功是很难的事情，其实，只要坚持努力，理想就一定能实现。

大　卫：这话是什么意思呢？

画　家：我上初中的时候才开始喜欢画画儿。从那时候开始一直到高中一年级，每天大概只用一个小时画画儿。

大　卫：那么，四年里，你画画儿的时间大概只有六十一天啊。高中二年级以后，你没有再画吗？

画　家：高中二年级和三年级的时候，因为准备考大学，我暂时停止了画画儿。上大学以后，才又重新拿起画笔。大学四年里，我每天也只用一个小时画画儿。

大　卫：四年里，画画儿的时间大概也是六十一天。大学毕业以后呢？

画　家：大学毕业后，我当了三年大学老师。这三年里，我每天大概花三个小时画画儿。三年里，画画儿的时间大概是一百三十七天。

大　卫：后来呢？

画　家：后来我辞去了大学的工作，去全国各地游览了三年，每天用八个小时画画儿。三年里，画画儿的时间正好是三百六十五天。

大　卫：这三年，你画画儿的时间比较多。

画　家：是的。后来我回到北京，专门画了三年画儿，每天用十个小时画画儿。三年里，画画儿的时间大概是四百六十五天。然后，在这次比赛中，我得了这个大奖。

大　卫：从你小时候对画画儿产生兴趣，到你得了大奖，花在画画儿上的时间是多少呢？我们算一下：六十一天加六十一天加一百三十七天加三百六十五天加四百六十五天等于一千零八十天。大概只有三年！

画　家：是啊，其他的时间，我都在做与画画儿无关的事。所以，我说成功不需要多少时间。你同意我的看法吗？

大　卫：你真棒。祝贺你。

（据《读者》2003/23 期张小石文）

Dàwèi: Huàjiā péngyou, tīngshuō nǐ zài měishù bǐsài zhōng déle dì-yī míng. Qǐng gěi wǒmen jièshào yíxiàr nǐ shì zěnme chénggōng de, hǎo ma?

Huàjiā: Zěnme shuō ne? Hěn duō rén yǐwéi chénggōng shì hěn nán de shìqing, qíshí, zhǐyào jiānchí nǔlì, lǐxiǎng jiù yídìng néng shíxiàn.

Dàwèi: Zhè huà shì shénme yìsi ne?

Huàjiā: Wǒ shàng chūzhōng de shíhou cái kāishǐ xǐhuan huà huàr. Cóng nà shíhou kāishǐ yìzhí dào gāozhōng yī niánjí, měi tiān dàgài zhǐ yòng yí ge xiǎoshí huà huàr.

Dàwèi: Nàme, sì nián li, nǐ huà huàr de shíjiān dàgài zhǐyǒu liùshíyī tiān a. Gāozhōng èr niánjí yǐhòu, nǐ méiyǒu zài huà ma?

Huàjiā: Gāozhōng èr niánjí hé sān niánjí de shíhou, yīnwèi zhǔnbèi kǎo dàxué, wǒ zànshí tíngzhǐle huà huàr. Shàng dàxué yǐhòu, cái yòu chóngxīn náqǐ huàbǐ. Dàxué sì nián li, wǒ měi tiān yě zhǐ yòng yí ge xiǎoshí huà huàr.

Dàwèi: Sì nián li, huà huàr de shíjiān dàgài yě shì liùshíyī tiān. Dàxué bìyè yǐhòu ne?

Huàjiā: Dàxué bìyè hòu, wǒ dāngle sān nián dàxué lǎoshī. Zhè sān nián li, wǒ měi tiān dàgài huā sān ge xiǎoshí huà huàr. Sān nián li, huà huàr de shíjiān dàgài shì yìbǎi sānshíqī tiān.

Dàwèi: Hòulái ne?

huàjiā: Hòulái wǒ cíqùle dàxué de gōngzuò, qù quánguó gè dì yóulǎnle sān nián, měi tiān yòng bā ge xiǎoshí huà huàr. Sān nián li, huà huàr de shíjiān zhènghǎo shì sānbǎi liùshíwǔ tiān.

Dàwèi: Zhè sān nián, nǐ huà huàr de shíjiān bǐjiào duō.

Huàjiā: Shì de. Hòulái wǒ huídào Běijīng, zhuānmén huàle sān nián huàr, měi tiān yòng shí ge xiǎoshí huà huàr. Sān nián li, huà huàr de shíjiān dàgài shì sìbǎi liùshíwǔ tiān. Ránhòu, zài zhè cì bǐsài zhōng, wǒ déle zhège dà jiǎng.

Dàwèi: Cóng nǐ xiǎo shíhou duì huà huàr chǎnshēng xìngqù, dào nǐ déle dà jiǎng, huā zài huà huàr shang de shíjiān shì duōshao ne? Wǒmen suàn yíxiàr: liùshíyī tiān jiā liùshíyī tiān jiā yìbǎi sānshíqī tiān jiā sānbǎi liùshíwǔ tiān jiā sìbǎi liùshíwǔ tiān děngyú yìqiān líng bāshí tiān. Dàgài zhǐyǒu sān nián!

Huàjiā: Shì a, qítā de shíjiān, wǒ dōu zài zuò yǔ huà huàr wúguān de shì. Suǒyǐ,wǒ shuō chénggōng bù xūyào duōshao shíjiān. Nǐ tóngyì wǒ de kànfǎ ma?

Dàwèi: Nǐ zhēn bàng. Zhùhè nǐ.

New Words and Expressions 生词语

1. 成功	(名)	chénggōng	success
2. 画家	(名)	huàjiā	painter
3. 得	(动)	dé	get; obtain; gain
4. 以为	(动)	yǐwéi	think; believe; consider erroneously
5. 其实	(副)	qíshí	in fact; actually
6. 只要	(连)	zhǐyào	if only; so long as
7. 坚持	(动)	jiānchí	insist
8. 理想	(名)	lǐxiǎng	ideal; hope for the future
9. 实现	(动)	shíxiàn	accomplish
10. 高中	(名)	gāozhōng	senior school
11. 年级	(名)	niánjí	grade
12. 暂时	(副)	zànshí	temporarily; for the time being
13. 停止	(动)	tíngzhǐ	stop
14. 后来	(名)	hòulái	later; afterwards
15. 辞	(动)	cí	resign; quit one's job
16. 游览	(动)	yóulǎn	go sightseeing
17. 正好	(副)	zhènghǎo	just right; just enough
18. 专门	(副)	zhuānmén	especially
19. 奖	(名)	jiǎng	prize
20. 产生	(动)	chǎnshēng	come into being

21. 算	(动)	suàn	count
22. 加	(动)	jiā	plus
23. 等于	(动)	děngyú	equal
24. 零	(数)	líng	zero
25. 其他	(代)	qítā	other
26. 与…无关		yǔ... wúguān	have nothing to do with
27. 同意	(动)	tóngyì	agree
28. 祝贺	(动)	zhùhè	congratulate

语言点 (Grammar Points)

一 "V 去"

表示受事因为动词所表示的动作而消失。(This pattern is used to indicate that the object is disappeared due to the action.)

例：1. 他辞去了大学的工作。
2. 找工作、换工作花去了一年时间。
3. 他擦去脸上的汗，继续向上爬。

二 常用结果补语小结 (2)(Summary of the Common Result complement)

完	听完 画完 做完 吃完
见	看见 听见
到	看到 听到 买到 找到 得到
着	找着 买着 点着 睡着
去/掉	辞去 花去 擦去 洗去 脱去
懂	看懂 听懂
走	飞走 偷走 借走 拿走
成	变成 画成 切成 摆成

三 “只要……就……”(As long as...)

表示在某条件下，必然会有某结果发生。 (This pattern is used to express that some result occurs under certain conditions.)

例：1. 只要你坚持努力，就一定能实现自己的理想。

2. 只要你同意，我就天天给你打电话。

3. 只要天气好，我们就去爬山。

练习 Exercises

一 辨字组词 (Make Words or Phrases with the Given Characters)

功(　　) 实(　　) 辞(　　) 奖(　　) 览(　　)

助(　　) 买(　　) 甜(　　) 将(　　) 坚(　　)

二 选词填空 (Fill in the Blanks with the Following Words)

以前　以后　后来　从前

1. (　　)，人们不知道为什么会下雨？
2. (　　)，我不习惯早睡早起，现在已经习惯了。
3. (　　)你不要来找我了，我马上就搬家了。
4. 刚来中国的时候，我没有朋友，(　　)，我认识了很多中国朋友。

产生　暂时　同意　祝贺　坚持

1. 你的朋友在比赛中赢了，你们会怎么(　　)他？
2. 我还没找到住的地方，(　　)住在朋友家。
3. 你什么时候对画画儿(　　)了兴趣？
4. 你们都(　　)他的看法吗？
5. 不要总是(　　)自己的看法，有时候也应该听听别人的意见。

三 短文填空 (Cloze)

理想　实现　与　高中　以后　专门　毕业　得　其实

每个人都有自己的(　　)。上(　　)的时候,我的英语很好,在一次英语比赛中还(　　)了一等奖。那时候,我的理想是长大(　　)当翻译。但是,上大学的时候,我学的是中文系。大学(　　)以后,我当了老师,(　　)教留学生汉语。虽然我小时候的理想没有(　　),但是,我的工作也不是(　　)英语无关。(　　),只要坚持努力,我们就一定会成功。

四 选词填空 (Fill in the Blanks with the Following Words)

完　见　到　着　去　走　成　懂

1. 对不起,我写错了,我把你的名字写(　　)西瓜了。
2. 这个问题很简单,我一听就听(　　)了。
3. 快点儿,写(　　)了作业我们去看电影。
4. 你看(　　)了吗?他们的人比我们多多了。
5. 去旅行的人太多了,我们没买(　　)卧铺票。
6. 你睡(　　)了吗?
7. 我不记得谁把我的书借(　　)了。
8. 你为什么要辞(　　)那么好的工作?

五 用"只要……就……"回答问题 (Answer the Questions with "只要……就……")

1. 你喜欢看电影吗?

→______________________________

2. 我能学好汉语吗?

→______________________________

3. 我要找保洁公司帮我收拾一下房间,应该怎么找他们?

→______________________________

4. 你喜欢吃什么?我给你做。

→______________________________

六 用指定词语说话 (Talk about the Following Topic, Using the Given Expressions)

两人一组,讨论一下怎么样才能学好汉语。

只要……就……　一直　其实　一定

七 自由表达 (Express in Your Own Words)

1. 三个人一组,表演在庆祝聚会上,画家朋友和大家聊天儿。
2. 请根据课文用表格的形式为画家写一个简单的学习、工作经历。

八 阅读理解 (Reading Comprehension)

鼠宝宝学外语

鼠妈妈一下子生了八个鼠宝宝,老大叫阿大,老二叫阿二,老三叫阿三,这样一个一个排下去,最后一个老小就叫阿八。鼠妈妈想让八个宝宝都成为最聪明的老鼠,所以,一生下来就教他们说话。

"吱吱吱! 吱吱吱!"不到一天,孩子们就全学会了。

鼠妈妈高兴得不得了,对八个宝宝说:"从明天起,妈妈教你们学外语。"

"什么叫外语啊?"阿大问。

"外语嘛,就是别的动物说的话。"

阿八说:"我是老鼠,只要会吱吱叫就行了,我不想说外语。"

"学了外语对我们有好处,妈妈要让你们成为最聪明的老鼠,所以你们必须学!"妈妈说。

学外语真难啊!累死人了!真没意思!鼠宝宝们一个一个地睡着了。

鼠妈妈没办法,只好说:"我们先去找吃的,吃饱了再来学外语。"

哈,一块巧克力! 鼠宝宝们跟着妈妈跑过去。

"喵——"忽然,一只大花猫出现了,"你们跑不了啦!"

鼠宝宝都吓呆了。这时,鼠妈妈说:"孩子们,快说狗的外语。”

鼠宝宝们马上一起叫起来：“汪汪汪！汪汪汪！”声音比在家练习的时候大多了。

大花猫糊涂了。这是什么动物呢？没等大花猫想明白，鼠妈妈早带着孩子们跑远了。

鼠宝宝们回到洞里，一齐说：“学外语真好！学外语真好啊！”

（根据胡莲娟《鼠宝宝学外语》改编）

回答问题

你为什么要学习外语？怎么才能学好外语？

Additional Vocabulary 补充词语

1. 鼠	（名）	shǔ	rat
2. 排	（动）	pái	arrange (a sequence)
3. 吱	（拟声）	zhī	squeak
4. 必须	（副）	bìxū	must
5. 出现	（动）	chūxiàn	appear
6. 吓	（动）	xià	frighten
7. 呆	（形）	dāi	dumb
8. 糊涂	（形）	hútu	confused
9. 洞	（名）	dòng	hole; cavity
10. 一齐	（副）	yìqí	simultaneously

第四十五课 请稍等

Dì-sìshíwǔ Kè Qǐng Shāo děng

有位先生利用假期出去玩儿了一趟，回来后他讲了这样一件事：

有一天，他出去玩儿，走了一上午，又累又渴，这时，他看见了一家饭店，门口立着一块大牌子："服务周到。经济实惠。"他就走了进去，想在那儿吃午饭。饭店里边人很少，点着蜡烛，很安静，看起来挺不错的。他脱下外衣，挂在门边，然后找了一个坐位坐下来。

很快，一个服务员走了过来："欢迎光临。先生，您需要点儿什么？"

他说："先给我来一杯扎啤吧。"

"好的，请稍等。"

过了一会儿，服务员回来了："对不起，先生，扎啤没有了。"他心想，可能自己没点菜，人家不太高兴。他又说："那么，请给我上个汤，肉丝汤。""好的，请稍等。"

又过了一会儿，服务员回来了："对不起，先生，肉丝汤没有了。"

"那么，给我上个炸牛排、炸羊排或者炸猪排吧。""好的，请稍等。"

过了一会儿，服务员又回来了："非常对不起，先生，炸牛排、炸羊排、炸猪排都没有了。"

他终于忍不住生气了，说："好吧，我不吃了。请把我的外衣拿过来。"

"好的，请稍等。"

这次，服务员很快就回来了："真是不好意思，先生，您的外衣也没有了。"

朋友问他那家饭店的名字，他一笑，说："就叫'没有了'。"

Yǒu wèi xiānsheng lìyòng jiàqī chūqu wánrle yí tàng ,huílai hòu tā jiǎngle zhèyàng yí jiàn shì:

Yǒu yì tiān, tā chūqu wánr, zǒule yí shàngwǔ, yòu lèi yòu kě, zhèshí, tā kànjiànle yì jiā fàndiàn, ménkǒu lìzhe yí kuài dà páizi:"Fúwù zhōudào. Jīngjì shíhuì." Tā jiù zǒule jinqu, xiǎng zài nàr chī wǔfàn. Fàndiàn lǐbian rén hěn shǎo, diǎnzhe làzhú, hěn ānjìng, kàn qilai tǐng búcuò de. Tā tuōxià wàiyī, guà zài mén biān, ránhòu zhǎole yí ge zuòwèi zuò xialai.

Hěn kuài, yí ge fúwùyuán zǒule guolai:"Huānyíng guānglín. Xiānsheng, nín xūyào diǎnr shénme? "

Tā shuō:"Xiān gěi wǒ lái yì bēi zhāpí ba."

"Hǎode, qǐng shāo děng."

Guòle yíhuìr, fúwùyuán huílai le:"Duìbuqǐ, xiānsheng, zhāpí méiyǒu le." Tā xīn xiǎng, kěnéng zìjǐ méi diǎn cài, rénjia bú tài gāoxìng. Tā yòu shuō:"Nàme,qǐng gěi wǒ shàng ge tāng , ròusītāng." "Hǎode, qǐng shāo děng."

Yòu guòle yíhuìr, fúwùyuán huílai le:"Duìbuqǐ ,xiānsheng, ròusītāng méiyǒu le."

"Nàme, gěi wǒ shàng ge zhá niúpái, zhá yángpái huòzhě zhá zhūpái ba." "Hǎode, qǐng shāo děng."

Guòle yíhuìr, fúwùyuán yòu huílai le:"Fēicháng duìbuqǐ, xiānsheng, zhá niúpái, zhá yángpái, zhá zhūpái dōu méiyǒu le."

Tā zhōngyú rěn bu zhù shēngqì le, shuō :"Hǎo ba, wǒ bù chī le. Qǐng bǎ wǒ de wàiyī ná guolai."

"Hǎode, qǐng shāo děng."

Zhè cì, fúwùyuán hěn kuài jiù huílai le: "Zhēn shì bùhǎoyìsi, xiānsheng, nín de wàiyī yě méiyǒu le."

Péngyou wèn tā nà jiā fàndiàn de míngzi, tā yí xiào, shuō:"Jiù jiào 'méiyǒu le'."

New Words and Expressions 生词语

1. 稍等		shāo děng	wait a minute
2. 利用	(动)	lìyòng	make use of
3. 讲	(动)	jiǎng	tell
4. 饭店	(名)	fàndiàn	restaurant
5. 立	(动)	lì	erect
6. 块	(量)	kuài	*a measure word*, piece
7. 牌子	(名)	páizi	sign

8. 周到	（形）	zhōudào	considerate
9. 经济	（形）	jīngjì	economical
10. 实惠	（形）	shíhuì	substantial
11. 午饭	（名）	wǔfàn	lunch
12. 蜡烛	（名）	làzhú	candle
13. 安静	（形）	ānjìng	quiet
14. 外衣	（名）	wàiyī	coat
15. 边	（名）	biān	side
16. 坐位	（名）	zuòwèi	seat
17. 过来	（动）	guòlái	come over
18. 光临	（动）	guānglín	(Pol.) presence of a guest
19. 扎啤	（名）	zhāpí	draught beer
20. 心	（名）	xīn	heart
21. 自己	（代）	zìjǐ	oneself
22. 人家	（代）	rénjia	others
23. 上	（动）	shàng	serve
24. 汤	（名）	tāng	soup
25. 肉	（名）	ròu	meat
26. 丝	（名）	sī	threadlike thing
27. 炸	（动）	zhá	deep fry
28. 牛排	（名）	niúpái	steak
29. 羊	（名）	yáng	sheep; goat
30. 猪	（名）	zhū	pig
31. 忍	（动）	rěn	endure
忍不住		rěn bu zhù	cannot help

单元语言点小结（Summary of Grammar Points）

语言点	课数	例句
1. “又……又……”	41	他长得又高又大，他的女朋友又聪明又漂亮。
2. “把”(1)	41	你把鸡蛋打到这个碗里。
3. “V 起来”(评价、判断)	41	出国留学的手续听起来简单，其实很麻烦。
4. “就是”	41	这个菜很好吃，就是太辣了。
5. “把”(2)	42	别把电视摔坏了。
6. “虽然……但是……”	42	饺子虽然好吃，但是包起来太麻烦了。
7. “不但……而且/还……”	43	她不但会唱中文歌，而且会跳民族舞。
8. “越来越……”	43	夏天快到了，天气越来越热了。
9. “百分之……”	43	听中国人聊天儿，我只能听懂百分之二三十。
10. “V 去……”	44	他辞去了大学的工作。
11. “只要……就……”	44	只要你同意，我就天天给你打电话。

练习 Exercises

一 辨字组词（Make Words or Phrases with the Given Characters）

讲(　　)　牌(　　)　啤(　　)　午(　　)　炸(　　)

进(　　)　静(　　)　净(　　)　牛(　　)　作(　　)

二 填写量词（Write down the Measure Words）

1. 他给我们讲了一(　　)事。
2. 我买了一(　　)外衣。
3. 天很热，喝(　　)扎啤吧。

4. 学校附近有(　　)饭店，又经济又实惠。
5. 那(　　)牌子上写着什么？
6. 最近大卫利用假期出去玩儿了一(　　)。

三 选词填空 (Fill in the Blanks with the Following Words)

人家　他　你　我

A：大卫的汉语真好。(　　)怎么能说得那么流利呢？(　　)的汉语比他差远了。
B：当然啦，(　　)在中国留了一年学，还有很多中国朋友，(　　)的汉语水平当然没有(　　)好了。

人家　咱们

A：(　　)都去看比赛，他怎么不去呢？
B：(　　)正忙着复习准备考研究生，没有时间看比赛。

四 短文填空 (Cloze)

到处　饭店　实惠　周到　坐位　自己

以前，中国人一般都在家里(　　)做饭吃，来客人的时候，也很少去(　　)。现在已经不是这样了。在城市里，饭店(　　)都是，每到吃饭的时候，总是坐满了人，有的饭店服务(　　)，经济(　　)，味道也不错，如果去晚了，还常常没有(　　)呢。

五 用指定的词语完成对话 (Complete the Dialogues with the Given Expressions)

1. A：他为什么有那么多朋友？
   B：因为＿＿＿＿＿＿＿＿＿＿。(不但……而且/还……)
2. A：刚来中国的时候，你不喜欢吃中国菜。现在喜欢了吗？
   B：是的，＿＿＿＿＿＿＿＿＿＿。(越来越……)
3. A：中国有多少人口是农民？
   B：＿＿＿＿＿＿＿＿＿＿？(百分之……)
4. A：你写汉字写得怎么样？
   B：＿＿＿＿＿＿＿＿＿＿。(又……又……)

5. A：中国菜怎么样？

B：________________。（V 起来）

6. A：你说，我能学好汉语吗？

B：一定能，________________。（只要……就……）

五 用"把"字句讲讲下面的故事 (Tell the Story Using "把" Sentences)

The farmer successfully transported a wolf, rabbit and cabbage across the river. Remember that if left alone together the wolf will eat the rabbit and the rabbit will eat the cabbage. Try to tell the story of this clever farmer, using "把" constructions.

____

____

____

____

____

____

____

六 写出补语（Write the Complements）

1. 别着急，我马上就写（　　）了。
2. 这本书我不用了，你拿（　　）吧。
3. 这件衣服穿的时间太长了，要洗（　　）还真不容易呢。
4. 你怎么变（　　）这个样子了？
5. 我说了那么多遍，你没听（　　）吗？

七 自由表达（Express in Your Own Words）

1. 两个人一组，一人扮演“他”，另一个人扮演服务员。
2. 两个人一组，一人扮演“他”，另一个人扮演他的朋友，“他”向朋友讲述自己遇到的事情。

八 写作（Composition）

你去饭店吃饭，有没有遇到过一些有意思的事儿？如果有，请写下来。

九 阅读理解（Reading Comprehension）

关于吃

张红：玛丽，你来中国已经半年多了，过得开心吗？
玛丽：当然开心啦。我交了不少朋友，汉语水平也有了很大的提高。而且，中国饭很好吃，饺子、面条儿、火锅、西红柿炒鸡蛋、牛排、肉丝汤…… 我都喜欢吃。
张红：是吗？那你一定了解中国的吃文化了？
玛丽：知道一点儿。
张红：那我问你一个问题，考考你，好吗？
玛丽：好，你问吧。
张红：中国人在吃的方面有三个特点，你知道吗？
玛丽：这个——我不知道，你给我讲讲吧。
张红：第一，中国人什么都敢吃；第二，能吃的不敢吃；第三，不能吃的却敢吃。
玛丽：什么叫“什么都敢吃”？
张红：有句话是：靠山吃山，靠水吃水。你知道吗？山都能吃，还有什么不能吃呢？

玛丽：有意思。那什么叫“能吃的不敢吃”呢？

张红：鸭蛋，能吃吗？

玛丽：当然能吃了，我很喜欢吃咸鸭蛋。

张红：你考试的时候，吃个大鸭蛋，怎么样？

玛丽：不行，不行。那我可不敢吃。

张红：你吃醋吗？

玛丽：吃——哎呀！不行，不行。不能吃醋。

张红：我说的没错吧？能吃的不敢吃！

玛丽：那什么是“不能吃的却敢吃”？

张红：你现在吃我一拳，怎么样？

玛丽：吃你一拳？没问题，你的劲儿那么小，吃你一拳也没关系。

张红：哈哈，拳头不能吃，你吃了吧？

玛丽：真有意思，看起来，不但中国饭又好吃又好看，而且关于吃的词语还真不少呢。

你知道这些句子的意思吗？

1. 靠山吃山，靠水吃水，
2. 这次考试，他吃了个大鸭蛋。
3. 我不吃你的醋，你放心。
4. 吃你一拳也没关系。

Additional Vocabulary 补充词语

1. 关于	（介）	guānyú	about; concerning
2. 敢	（助动）	gǎn	dare
3. 靠	（动）	kào	keep to; get near
4. 鸭蛋	（名）	yādàn	duck's egg
5. 拳	（名）	quán	fist

第四十六课　从　哪一头儿吃 香蕉

Dì-sìshíliù　　Kè　　Cóng Nǎ Yì　Tóur Chī Xiāngjiāo

听录音，回答问题

香蕉应该从哪一头儿吃？

一个朋友对我说过一句话，给我留下了深刻的印象。她说："有些人吃香蕉总是从尾巴开始剥，有些人总是从细头儿开始剥，差别很大。"她的话给了我很大的启发。

如果已经是一种习惯，一个人就很难改变他剥香蕉的方式。

一个戒烟的人，他戒了一天烟，难受极了，他想：我才戒了一天烟，就这么难。天哪，如果我还能活 10000 天的话，就还要受 9999 天的罪，算了吧！他戒烟失败。但是，如果换个想法：我第一天戒烟就成功了，真不错！如果我还能活 10000 天的话，坚持下去，后面的 9999 天就从成功开始，多好！他就能慢慢地把烟戒掉。

其实，这里有一个最简单的道理：遇到任何事情，我们都可以试试换个角度去想。很多事情不是必须那么做，或者必须这么做的。

香蕉，当然是可以从两头儿吃的！

（据《读者》2003/20 期叶延滨文）

Yí ge péngyou duì wǒ shuōguo yí jù huà, gěi wǒ liúxiàle shēnkè de yìnxiàng. Tā shuō: "Yǒuxiē rén chī xiāngjiāo zǒngshì cóng wěiba kāishǐ bāo, yǒuxiē rén zǒngshì cóng xì tóur kāishǐ bāo, chābié hěn dà." Tā de huà gěile wǒ hěn dà de qǐfā.

Rúguǒ yǐjing shì yì zhǒng xíguàn, yí ge rén jiù hěn nán gǎibiàn tā bāo xiāngjiāo de fāngshì.

Yí ge jiè yān de rén, tā jièle yì tiān yān, nánshòu jí le. Tā xiǎng: wǒ cái jièle yì tiān yān, jiù zhème nán. Tiān na, rúguǒ wǒ hái néng huó yíwàn tiān dehuà, jiù hái yào shòu jiǔqiān jiǔbǎi jiǔshíjiǔ tiān de zuì, suànle ba! Tā jiè yān shībài. Dànshì, rúguǒ huàn ge xiǎngfa: wǒ dì-yī tiān jiè yān jiù chénggōng le, zhēn búcuò! Rúguǒ wǒ hái néng huó yíwàn tiān dehuà, jiānchí xiaqu, hòumian de jiǔqiān jiǔbǎi jiǔshíjiǔ tiān jiù cóng chénggōng kāishǐ, duō hǎo! Tā jiù néng mànmàn de bǎ yān jièdiào.

Qíshí, zhèli yǒu yí ge zuì jiǎndān de dàoli: yùdào rènhé shìqing, wǒmen dōu kěyǐ shìshi huàn ge jiǎodù qù xiǎng. Hěn duō shìqing bú shì bìxū nàme zuò, huòzhě bìxū zhème zuò de.

Xiāngjiāo, dāngrán shì kěyǐ cóng liǎng tóur chī de!

根据课文填空 (Fill in the Blanks According to the Text)

1. 一个朋友(　　)我说过一句话,(　　)我留下了深刻的印象。
2. 有些人吃香蕉总是(　　)尾巴开始剥。
3. 坚持(　　),他就能慢慢地(　　)烟戒掉。

New Words and Expressions 生词语

1. 头儿	(名)	tóur	top; tip; end
2. 香蕉	(名)	xiāngjiāo	banana
3. 过	(助)	guò	*used after a verb to indiacate a past action or state*
4. 句	(量)	jù	*measure word, used of language*
5. 留下		liúxià	leave sb. (with impression)
6. 深刻	(形)	shēnkè	deep
7. 印象	(名)	yìnxiàng	impression
8. 总是	(副)	zǒngshì	always
9. 尾巴	(名)	wěiba	end; tail
10. 剥	(动)	bāo	peel; skin; shell
11. 细	(形)	xì	thin; slender
12. 差别	(名)	chābié	difference; disparity
13. 启发	(名)	qǐfā	enlightenment

14. 种	(量)	zhǒng	*a measure word*, kind; type
15. 改变	(动)	gǎibiàn	change
16. 方式	(名)	fāngshì	way; fashion
17. 戒烟		jiè yān	quit smoking
18. 难受	(形)	nánshòu	feel unwell
19. 活	(动)	huó	live
20. 万	(数)	wàn	ten thousand
21. 受罪		shòu zuì	endure hardship, torture, ect.
22. 算了		suànle	forget it; let it be
23. 失败	(形)	shībài	fail; be defeated; lose (a war; game; etc.)
24. 想法	(名)	xiǎngfa	idea
25. 道理	(名)	dàoli	reason
26. 任何	(代)	rènhé	any
27. 事情	(名)	shìqing	affair; matter
28. 角度	(名)	jiǎodù	angle
29. 必须	(副)	bìxū	must

语言点（Grammar Points）

一 “过”

表示过去有过某种经历。(This word indicates the past experience.)否定形式(negative form):“没有+ V +过。”

例：1. 那个地方我两年前去过，还不错。

→我没有去过那个地方。

2. 我只吃过一次北京烤鸭，你呢？

→我没有吃过北京烤鸭。

3. 那个电影我看过了，你们去吧，我不去看了。
→我没有看过那个电影。

二 “V下去”

表示继续进行某行为或保持某种状态。(It indicates the action or status continues.)

例：1. 别停，说下去。
2. 你不要再玩儿下去了，马上就该考试啦。
3. 我头疼得厉害，真的学习不下去了，我们出去玩儿会儿吧。

三 “才”(2)

“才”用在数量词前面的时候，表示在说话人看来，这个数量很少。(When “才” is used before a numeral-plus-classifier expression word, it indicates a small amount on the speaker's opinion.)

例：1. 现在才十点，看一会儿电视再睡吧。
2. 你怎么才吃了一个包子。
3. 这件衣服才2000块，太便宜了。

四 百以上的称数法（千、万）(Numeral above Hundred)

1080 一千零八十
9873 九千八百七十三
12465 一万两千四百六十五
3240000 三百二十四万
40790 四万零七百九十

练 习 Exercises

一 写出你知道的水果名称 (Write the Names of Fruits that You know)

________ ________ ________ ________ ________ ________

二 写出反义词 (Write Antonyms to the Given Words)

细——	失败——	头儿——
活——	总是——	难受——

三 选词填空 (Fill in the Blanks with the Following Words)

留下　启发　方式　角度　道理　差别

1. 这是他的心意,你就(　　)吧。
2. 城市和农村的(　　)已经越来越小了。
3. 看到苹果从树上落下来,牛顿(Niúdùn/Newton)受到了(　　)。
4. 你不要打孩子,应该给他讲(　　)。
5. 我不习惯他说话的(　　),所以,总是不喜欢他。
6. 从这个(　　)看,她非常漂亮,就这样给她照一张相吧。

总是　一直

1. 这家饭店服务周到,我每次来北京(　　)喜欢住这儿。
2. 今天从早上到现在,(　　)在下雨。
3. 每年的五、六月,中国的南方(　　)天天下雨,人们叫这个时期"梅雨(méiyǔ/intermittent drizzles)季节"。
4. 你今天(　　)都不说话,怎么了?

改变　变成　变

1. 来中国后,他(　　)了对中国的看法。
2. 天气(　　)得越来越冷了。
3. 气温到零度以下时,水就会(　　)冰(bīng/ice)。
4. 秋天到了,叶子都(　　)黄了。

5. 叶子(　　)黄色以后,更漂亮了。

四 短文填空 (Cloze)

印象　必须　深刻　改变　任何

我们第一次见到一个人,就会对他产生一个(　　):喜欢他或者不喜欢他。这个印象有时候非常(　　),很难(　　)。但是,有时候,第一印象可能是不对的。我们(　　)注意这一点,不能戴上"有色眼镜",因为(　　)事情都可能发生变化(biànhuà/change)。

五 询问你的同学是否有过某些经历 (Ask Your Classmates if They Have the Following Experiences)

1. 你遇到过有名的人吗?
2. 你看过中国小说吗?
3. 你坐过飞机吗?
4. 你在旅行的时候,和别人说过话吗?
5. 你包过饺子吗?
6. 你唱过中文歌吗?

六 用"才"完成对话 (Complete the Dialogues with"才")

1. A: 你吃吧,我不吃了。
   B: 怎么? ________________________________?
2. A: 我们现在起床吧。
   B: ____________________,再睡一会儿吧。
3. A: 你们学校不太大,是吧?
   B: ________________________________。

七 读出下列数字 (Read the Numerals)

1949　2008　4,5798　3,0912　48,0005　960,0000

八 用指定词语说话 (Talk about the Following Topic, Using the Given Expressions)

辩论:要不要戒烟?

过　极了　才　V下去　V掉　如果……的话，就

九　自由表达 (Express in Your Own Words)

什么样的事情可以这么做，也可以那么做？为什么？谈谈你的经历。

十　阅读理解 (Reading Comprehension)

核桃和莲子

一位老教授在上他的最后一节课，快下课的时候，他拿出一个大杯子和一些核桃、莲子，他对大家说："今天我们做一个实验。这个实验的结果，可以告诉大家一个道理。"

他先把杯子装满了核桃，然后问："杯子满了吗？"

学生们回答："满了。"

然后，教授又把莲子装进了杯子。他问："你们能从这个实验得到什么启发？"

学生们都不说话。

最后教授说："想想看，如果我们先用莲子把杯子装满，还能再装核桃吗？人生中有很多事情，有的是小事，有的是大事。如果我们花很多时间去做那些小事，就没有时间做那些真正对自己重要的事情了。我希望大家记住这个实验，如果莲子先装满了，就装不下核桃了。"

回答问题

老教授要告诉学生的道理是什么？你同意吗？

Additional Vocabulary　**补充词语**

1. 节	（量）	jié	*a measure word for class*
2. 核桃	（名）	hétao	walnut
3. 莲子	（名）	liánzǐ	lotus seed
4. 实验	（名）	shíyàn	experiment
5. 装	（动）	zhuāng	fill; load; pack
6. 人生	（名）	rénshēng	life
7. 真正	（副）	zhēnzhèng	truely; really

第四十七课　李军的日记

Dì-sìshíqī　Kè　Lǐ Jūn de　Rìjì

听录音，回答问题

1. 为什么“我们”要聚会？
2. 开始“我”有什么担心？

2004年7月13日　星期二　小雨

五年前的暑假，我高中毕业了。那时候，我们同学约好，五年后的暑假一起回母校聚会。

这五年里，我们大家虽然也经常联系，但是除了发发e-mail、打打电话，从来也没有见过面。所以，能够聚一聚，我们都非常高兴。离聚会的时间还差一个多月，我们就在网上讨论聚会的计划和安排。最后，我们决定在7月11日——就是五年前我们离开学校的日子，大家一起回母校。

说实话，没见面以前，我有些担心：已经五年没见面了，大家一定有很多变化，如果找不到共同的话题，该怎么办？但是，没想到，大家见面后，不但不觉得陌生，而且似乎比五年前还亲热，问好、握手，一下子就回到了过去。第一天的晚上，我们一边喝酒，一边回忆做过的坏事、傻事，痛痛快快地一直聊到天亮。

两天的时间很快就过去了。我们在宿舍楼、教室、操场、食堂、图书馆、体育馆，每一个曾经去过的地方，都照了相、合了影，作为留念。

这真是一次愉快的聚会！

Èr-líng-líng-sì nián qī yuè shísān rì　　　xīngqī'èr　　　xiǎoyǔ

Wǔ nián qián de shǔjià, wǒ gāozhōng bìyè le. Nà shíhou, wǒmen tóngxué yuēhǎo, wǔ nián hòu de shǔjià yìqǐ huí mǔxiào jùhuì.

Zhè wǔ nián li, wǒmen dàjiā suīrán yě jīngcháng liánxì, dànshì chúle fāfā E-mail, dǎdǎ diànhuà, cónglái yě méiyǒu jiànguo miàn. Suǒyǐ, nénggòu jù yí jù, wǒmen dōu fēicháng gāoxìng. Lí jùhuì de shíjiān hái chà yí ge duō yuè, wǒmen jiù zài wǎngshang tǎolùn jùhuì de jìhuà hé ānpái. Zuìhòu, wǒmen juédìng zài qī yuè shíyī rì—jiùshì wǔ nián qián wǒmen líkāi xuéxiào de rìzi, dàjiā yìqǐ huí mǔxiào.

Shuō shíhuà, méi jiàn miàn yǐqián, wǒ yǒuxiē dān xīn: yǐjing wǔ nián méi jiàn miàn le, dàjiā yídìng yǒu hěn duō biànhuà, rúguǒ zhǎo bú dào gòngtóng de huàtí, gāi zěnmebàn? Dànshì, méi xiǎngdào, dàjiā jiàn miàn hòu, búdàn bù juéde mòshēng, érqiě sìhū bǐ wǔ nián qián hái qīnrè, wèn hǎo, wò shǒu, yíxiàzi jiù huídàole guòqù. Dì-yī tiān de wǎnshang, wǒmen yìbiān hē jiǔ, yìbiān huíyì zuòguo de huàishì, shǎshì, tòngtòng-kuàikuài de yìzhí liáodào tiānliàng.

Liǎng tiān de shíjiān hěn kuài jiù guòqu le. Wǒmen zài sùshèlóu, jiàoshì, cāochǎng, shítáng, túshūguǎn, tǐyùguǎn, měi yí ge céngjīng qùguo de dìfang, dōu zhàole xiàng, héle yǐng, zuòwéi liúniàn.

Zhè zhēn shì yí cì yúkuài de jùhuì!

根据课文填空 (Fill in the Blanks According to the Text)

1. 高中毕业后,我们经常联系,但是除了(　　)e-mail、(　　)电话,从来也没有见过面。所以,能够(　　)一(　　),我们都非常高兴。离聚会的时间还(　　)一个多月,我们就开始做准备了。到母校以后,我们一起(　　)了相,(　　)了影,(　　)留念。
2. 我们高中同学约(　　),今年暑假一起回母校聚会。没见面以前,我有些担心,怕大家找不(　　)共同的话题。但是,没想(　　),大家见面后,一下子就回(　　)了过去。大家一起聊天儿,一直聊(　　)天亮。

New Words and Expressions 生词语

1. 暑假	(名)	shǔjià	summer vacation
2. 约	(动)	yuē	make an appointment
3. 母校	(名)	mǔxiào	Alma Mater
4. 除了	(介)	chúle	except; besides
5. 从来	(副)	cónglái	always; at all times

6. 能够	(助)	nénggòu	can
7. 聚	(动)	jù	get together
8. 讨论	(动)	tǎolùn	discuss
9. 计划	(名)	jìhuà	plan
10. 离开	(动)	líkāi	leave
11. 日子	(名)	rìzi	day; date
12. 实话	(名)	shíhuà	truth
13. 变化	(名)	biànhuà	change
14. 共同	(形)	gòngtóng	common
15. 话题	(名)	huàtí	topic
16. 陌生	(形)	mòshēng	strange
17. 似乎	(副)	sìhū	It seems...
18. 亲热	(形)	qīnrè	intimate; affectionate
19. 问好		wèn hǎo	say hello to
20. 握手		wò shǒu	shake one's hand
21. 一边	(连)	yìbiān	at the same time; simultaneously
22. 回忆	(动)	huíyì	recall
23. 傻	(形)	shǎ	foolish
24. 痛快	(形)	tòngkuài	to one's heart's content
25. 聊	(动)	liáo	chat
26. 亮	(动)	liàng	dawn; light
27. 体育馆	(名)	tǐyùguǎn	gymnasium
28. 曾经	(副)	céngjīng	once; ever
29. 照相		zhào xiàng	take picture
30. 合影		héyǐng	group photo
31. 作为	(介)	zuòwéi	as
32. 留念	(名)	liúniàn	memento
33. 愉快	(形)	yúkuài	happy; joyful; cheerful

语言点 (Grammar Points)

一 "除了……(以外)"

(一) "除了……(以外),……也/还……" (Besides)

例：1. 除了他(以外),安娜也喜欢吃中国菜。

2. 除了中国菜(以外),我还喜欢吃泰国菜。

3. 除了星期天以外,星期二我也常常打篮球。

(二) "除了……(以外),……都……" (Except)

例：1. 除了他(以外),我们都喜欢吃中国菜。

2. 除了香菜(xiāngcài/coriander)(以外),别的菜我都喜欢吃。

3. 除了星期天(以外),其他时间我都要学习。

二 "一边……一边……" (This expression is used to express two simultaneous actions.)

例：1. 他们一边走,一边聊天儿。

2. 不要一边吃饭一边说话。

3. 一边看电视一边吃饭,这个习惯好不好?

三 "真是 + 一 + MW + N"

表示感叹。(This expression is used to express an exclamation.)

例：1. 今天真是一个好天气!

2. 真是一个不错的机会!

3. 真是一个奇怪的人! 一直都不说话。

四 感叹表达小结 (Summary of Expressions for Exclamation)

真是一+MW+N	真是一个好孩子!
真+adj.+(啊)	真冷啊!
太+adj.+了	太棒了!
好+adj.+(啊)	好辣啊!
(Sub.)多+adj.+啊	你看,长城多伟大啊!

练习 Exercises

一 词语连线搭配 (Link the Words of the A,B Columns)

A	B
山	高
水平	大
风	低
个子	矮
墙	
声音	

二 写出适当的介词或连词 (Write the Prepositions or Conjuctions)

1. 我(　　)他们照了一张相。
2. 我想(　　)你合张影,行吗?
3. 见面以后,你怎么(　　)朋友问好?
4. (　　)别人握手的时候,你应该怎么做?
5. 我常常(　　)老同学打电话。

三 选词填空 (Fill in the Blanks with the Following Words)

从来　安排　似乎　实话　能够　痛快

1. 这个周末你有什么(　　)? 可以告诉我吗?
2. 她总是很愉快,(　　)没有不高兴的事。

3. 毕业以后，你（　　）没见过他吗？
4. 说（　　）吧，我很不高兴。
5. 放假了，我要（　　）地睡一觉。
6.（　　）有机会认识你，我很高兴。

从来　曾经　已经

1. 我（　　）学过画画儿，但现在（　　）不画了。
2. 他（　　）能听懂百分之八十了。
3. 我（　　）没吃过麦当劳，你相信（xiāngxìn/believe）吗？
4. 他这个人（　　）都是这样，你别想改变他。
5. 他（　　）是一个大学老师。

四　短文填空 (Cloze)

聊天　大家　讨论　愉快　话题　回忆　傻　安排

在中国，大学生一般都住在学校的宿舍里，一个宿舍常常有四五个学生。（　　）住在一起，像一家人一样。每天睡觉前，大家躺着（　　），（　　）旅行计划和活动（　　）等等，过得很开心。当然，也有关系不好的时候。这一切都是大学生活的一部分。所以，毕业以后，（　　）起大学生活，总是有很多共同的（　　）。想起曾经做过的（　　）事，大家都会觉得很（　　）。

五　用"一边……一边……"改写下面的句子 (Rewrite the Sentences with "一边……一边")

1. 姐姐听着音乐做作业。
→ ______________________________
2. 孩子哭（kū/cry）着叫妈妈。
→ ______________________________
3. 他唱着歌儿洗衣服。
→ ______________________________
4. 我们常常吃着饭聊天儿。
→ ______________________________

六 用"除了……也/都……"改写下面的句子 (Rewrite the Sentences with"除了……也/都……")

1. 我们都喜欢喝啤酒,大卫不喜欢。
   →
2. 我没有见到小王,其他的同学都见到了。
   →
3. 从星期一到星期五每天上课,周末不上课。
   →
4. 我喜欢吃饺子,也喜欢吃别的中国饭。
   →
5. 大卫坐飞机来中国,别的留学生也坐飞机来中国。
   →

七 用指定词语说话 (Talk about the Following Topic, Using the Given Expressions)

两个人一组,谈谈你们的习惯。

除了　一边……一边……　曾经
真是……!　不但不……而且……　从来

八 自由表达 (Express in Your Own Words)

1. 在中学或大学里,你觉得最美好的回忆是什么?找一个人做记者,采访一下其他同学。
2. 在互联网(hùliánwǎng/internet)上,你们有没有校友录?请谈谈你对校友录的看法。

九 阅读理解 (Reading Comprehension)

载过她的自行车

我有个网友,讲过一个故事。她工作多年,有一天下班回家,突然遇到一个中学同学。两个老同学虽然很久没有见面了,但是觉得很亲切。当时,男孩骑着自行车。他突然说:"我载你回家吧。"女孩说:"好啊。"女孩坐在车后坐上,手轻轻地扶着男孩的腰,看着他吃力地骑上一个上坡,不好意思地说:"我比以前重了。"男孩笑笑说:"没事儿,我载得动。"

就这样,男孩把女孩送到了家。两人互相说了声"晚安"。那是个初春的夜晚,虽然还挺冷的,但是女孩的心里却暖暖的,有点儿不一样。

今年夏天,我回到了分别十年的大学校园,发现操场、教室楼都重新修过了,有些东西不见了,有些东西出现了,但是,惟一不变的是校园里的很多女孩仍然坐在自行车的后坐上。

夜深人静的时候,我们都会偶尔深深地怀念一段时光,当我们从年轻走向成熟,那些故事也在心里,像美酒一样。

(据《读者》2003/23 期于小葱文)

判断正误

1. 两个人见面的时候,天气挺暖和的。□
2. 两个人是在校园里见面的。□
3. 男孩以前用自行车载过女孩儿。□

Additional Vocabulary 补充词语

1.	载	(动)	zǎi	carry (passengers)
2.	扶	(动)	fú	place a hand on (sb. or sth.) for support
3.	腰	(名)	yāo	waist
4.	吃力	(形)	chīlì	requiring much effort
5.	坡	(名)	pō	slope
6.	分别	(动)	fēnbié	part
7.	惟一	(名)	wéiyī	only
8.	怀念	(动)	huáiniàn	cherish memory of

第四十八课　我 看过京剧

Dì-sìshíbā　Kè　Wǒ Kànguo Jīngjù

听录音，回答问题

1. 这是“我”第几次看京剧？
2. 第一次看京剧“我”没有听懂，为什么？
3. “我”为什么苦恼？

昨天晚上，我去看了一场京剧。演员的表演很精彩，可是一句台词我也没听明白，演出的内容是什么，我完全不知道。

一年以前，我曾经看过一场京剧，当时，我也什么都没听懂。但是，我可以原谅自己，因为那时候我刚开始学习汉语，知道的词很少，而且听力也不太好，和老师、辅导聊天儿的时候，也经常听不懂。

现在我学汉语一年多了，词汇量增加了很多，已经可以用汉语进行一般的会话，可以看懂电视节目，听懂新闻广播。我一直很满意，以为自己的汉语已经取得了很大的进步，可是为什么看京剧时还是一句也听不懂呢？难道我的汉语水平还是那么差吗？

今天我正在苦恼的时候，我的一个中国朋友来玩儿。她告诉我说，京剧的台词不是用现代普通话唱的，大部分中国人也听不懂。

原来是这样！看起来，虽然对中国的政治、经济、教育和社会情况，我比较了解，但是我在京剧艺术等中国文化方面的知识，还是太少了。

Zuótiān wǎnshang, wǒ qù kànle yì chǎng Jīngjù. Yǎnyuán de biǎoyǎn hěn jīngcǎi, kěshì yí jù táicí wǒ yě méi tīng míngbai, yǎnchū de nèiróng shì shénme, wǒ wánquán bù zhīdào.

Yì nián yǐqián, wǒ céngjīng kànguo yì chǎng Jīngjù, dāngshí, wǒ yě shénme dōu méi tīngdǒng. Dànshì, wǒ kěyǐ yuánliàng zìjǐ, yīnwèi nà shíhou wǒ gāng kāishǐ xuéxí

Hànyǔ, zhīdào de cír hěn shǎo, érqiě tīnglì yě bú tài hǎo, hé lǎoshī, fǔdǎo liáo tiānr de shíhou, yě jīngcháng tīng bù dǒng.

Xiànzài wǒ xué Hànyǔ yì nián duō le, cíhuìliàng zēngjiāle hěn duō, yǐjing kěyǐ yòng Hànyǔ jìnxíng yìbān de huìhuà, kěyǐ kàndǒng diànshì jiémù, tīngdǒng xīnwén guǎngbō. Wǒ yìzhí hěn mǎnyì, yǐwéi zìjǐ de Hànyǔ yǐjing qǔdéle hěn dà de jìnbù, kěshì wèi shenme kàn Jīngjù shí háishi yí jù yě tīng bù dǒng ne? Nándào wǒ de Hànyǔ shuǐpíng háishi nàme chà ma?

Jīntiān wǒ zhèngzài kǔnǎo de shíhou, wǒ de yí ge Zhōngguó péngyou lái wánr. Tā gàosu wǒ shuō, Jīngjù de táicí bú shì yòng xiàndài pǔtōnghuà chàng de, dà bùfen Zhōngguórén yě tīng bù dǒng.

Yuánlái shì zhèyàng! Kàn qilai, suīrán duì Zhōngguó de zhèngzhì, jīngjì, jiàoyù hé shèhuì qíngkuàng, wǒ bǐjiào liǎojiě, dànshì wǒ zài Jīngjù yìshù děng Zhōngguó wénhuà fāngmiàn de zhīshi, háishi tài shǎo le.

根据课文填空 (Fill in the Blanks According to the Text)

昨天晚上,我去看了一(　　)京剧。(　　),一(　　)台词我也没听明白。我很(　　)。因为我一直(　　)自己的汉语已经(　　)了很大的进步,可是为什么看京剧时(　　)一个句子也听不懂呢?(　　)我的汉语水平还那么差吗?

New Words and Expressions

生词语

1. 场	(量)	chǎng	*measure word, for a game or performance*
2. 演员	(名)	yǎnyuán	actor
3. 台词	(名)	táicí	actor's lines
4. 演出	(名)	yǎnchū	perform
5. 内容	(名)	nèiróng	content
6. 完全	(副)	wánquán	completely
7. 当时	(名)	dāngshí	at that time
8. 听力	(名)	tīnglì	listening comprehension
9. 辅导	(名)	fǔdǎo	coach; tutor
10. 词汇	(名)	cíhuì	vocabulary
11. 量	(名)	liàng	quantity
12. 增加	(动)	zēngjiā	increase; raise

13. 节目	(名)	jiémù	program
14. 新闻	(名)	xīnwén	news
15. 广播	(名)	guǎngbō	broadcast
16. 取得	(动)	qǔdé	achieve; gain
17. 句子	(名)	jùzi	sentence
18. 难道	(副)	nándào	*used to reinforce a rhetorical question*
19. 差	(形)	chà	inferior
20. 苦恼	(形)	kǔnǎo	vexed; worried
21. 普通话	(名)	pǔtōnghuà	Mandarin
22. 政治	(名)	zhèngzhì	politics
23. 教育	(名)	jiàoyù	education
24. 社会	(名)	shèhuì	society
25. 情况	(名)	qíngkuàng	situation
26. 艺术	(名)	yìshù	art
27. 等	(助)	děng	etc.
28. 知识	(名)	zhīshi	knowledge

Proper Nouns

专有名词

京剧	Jīngjù	Peking Opera

语言点 (Grammar Points)

一 "难道"

用于反问句中加强反问语气。(This word is used to reinforce a rhetorical question.)

例：1. A: 你会说英语，是吧？

B: 对不起，我不会说。

A: 怎么？难道你不是美国人吗？

2. A：这是什么字？

B：这不是“人”字吗？我们昨天刚学的，难道你今天就忘了吗？

二 强调否定(Emphasize the Negation)

(一)“一 + MW + N + 也 + 不/没 + V”

例：1. 我一个字也不认识，怎么办？

2. 听说那个地方不太好，我一次也没去过。

3. 他们在说什么？我一点儿也听不懂。

(二)“一点儿也不 + adj.”

例：1. 这个问题一点儿也不难。

2. 老同学见面一点儿也不陌生。

3. 这个菜一点儿也不辣，你吃吧。

(三)“哪儿/谁/什么 etc.……也不/没 + V……”

例：1. 我哪儿也不去，就在学校里学习。

2. 今天我不太开心，觉得哪儿也没有意思。

3. 刚来中国的时候，我谁也不认识。

4. 谁也不帮我，怎么办？

5. 他病了，什么也不想吃。

练习 Exercises

一 选词填空(Fill in the Blanks with the Following Words)

以为　认为　觉得　想

1. 我一直(　　)汉语是最难的语言，今天才知道原来汉语不是最难的。
2. 你(　　)我应该怎么做才比较好？
3. 我(　　)她是一个很好的人。
4. 我(　　)很热，你呢？

5. 我(　　)回家看看。

二 短文填空 (Cloze)

演员　表演　演出　特点　内容　台词

大概在清朝（Qīng Cháo/Qing Dynasty）的时候，安徽（Ānhuī/Anhui Province）的四个大剧团（jùtuán/theatrical company）在北京有很多（　　），它们和别的地方戏(xì/opera)互相影响，渐渐(jiànjiàn/gradually)地有了自己的(　　)，叫做京剧。在古代，京剧的(　　)都是男的，没有女的。但是，现在有很多有名的女演员了。京剧的(　　)不是用现代普通话唱的，也不是口语，所以，我们一般很难听懂。但是，演员的脸可以告诉我们他(　　)的是什么样的人，他们的动作也可以帮助我们大概明白演出的(　　)。

三 用"难道"完成对话 (Complete the Dialogues with "难道")

1. A：对不起，我不能住在你这儿。
   B：你说什么呢？______________________。
2. A：今天晚上我们去哪儿玩儿？
   B：去玩儿？______________________？
3. A：你说什么？______________________？
   B：对，没错，我们来中国以前就认识了。
4. A：今天是我的生日！______________________？
   B：对不起，我真的是工作太忙了。

四 用强调否定表达式回答问题（一个问题两种回答方式）(Answer the Questions According to the Example)

如：你想吃什么？
　→我什么也不想吃。/我一点儿东西也不想吃。

1. 刚来中国的时候，你认识谁？
   →______________________
2. 你喜欢抽烟吗？
   →______________________

3. 你看过什么中国小说？

→ ______

4. 夏天哪儿最凉快？

→ ______

5. 你们班谁会说俄语？

→ ______

五 用"一点也不"完成对话 (Complete the Dialogues with "一点也不")

1. A：你了解中国文化吗？

 B：______。

2. A：你喜欢北京的春天吗？

 B：______，因为北京的春天很干燥，还常常有大风。

3. A：早上八点上课，你习惯吗？

 B：______。

4. A：假期没有去玩儿，你后悔吗？

 B：______。

六 用指定词语说话 (Talk about the Following Topic, Using the Given Expressions)

两个人一组，表演吵架（兄弟/姐妹/父母孩子/同屋/撞车的人）。

一+量词+名+动 哪儿/谁/什么 etc. +也不/没 V
难道 并且

七 自由表达 (Express in Your Own Words)

1. 两个人一组，一人是"我"，一人是"我"的中国朋友，朋友来"我"的房间，"我们"两个人一起谈谈看京剧的事情。
2. 同一国家的学生一组，说说自己国家的传统艺术及现在的年轻人对传统艺术的态度，为什么？然后请一人做发言人，向全班报告。

八 阅读理解（Reading Comprehension）

请 客

说话是一种艺术，有的人说出来的话让人高兴，有的人说出来的话能气死人。我有个朋友就不怎么会说话。

一天，他在饭店请客，一共请了四位客人，有三位早早地就到了，还有一位一直没来。等了一会儿，他有点儿着急了，就说："你看，该来的不来。"坐在他旁边的一位客人听了觉得不舒服，心想：该来的不来——那我是不该来的了？他站起来说："对不起，我出去方便一下儿。"走到门口，他对服务员说："一会儿你告诉他们，不用等我了。"

过了一会儿，服务员走过来问："先生，您点的菜准备好了，现在上菜吗？"

"先别上，我们还在等人呢。"

服务员说："那位先生说别等他了，他走了。"

我朋友一听就更着急了："不该走的怎么走了！"

一位客人听了又很不高兴：不该走的走了，我这个该走的还没走？好，我现在就走。他一句话也没说就走出了饭店。

我朋友还在说："他们怎么都走了？"

最后一位客人说："您不是说该来的不来，不该走的又走了吗？他们觉得自己不该留在这儿，所以都走了。您啊，以后说话一定要注意点儿。"

"哦——"我朋友想了想，说："可是，我说的不是他们啊！"

"啊？您说的是我啊！"最后一位客人也被气走了。

第四十九课　如果有一天……

Dì-sìshíjiǔ Kè　Rúguǒ Yǒu Yì Tiān...

听录音，回答问题

你怎么能知道父母老了？

如果有一天，你发现妈妈的厨房不再像以前那么干净了；如果有一天，你发现母亲做的菜太咸太难吃；如果有一天，你发现父亲看着看着电视睡着了；如果有一天，你发现父母不再爱吃脆脆的蔬菜水果了；如果有一天，你发现父母喜欢喝稀饭了；如果有一天，你发现他们反应慢了；如果有一天，你发现吃饭的时候他们总是咳嗽；如果有一天……

如果有这么一天，我要告诉你：你的父母真的已经老了，需要别人照顾了。

每个人都会老。父母比我们先老，我们应该照顾他们，关心他们。他们可能会很多事都做不好，如果房间有味儿，可能他们自己也闻不到，请千万不要嫌他们脏或嫌他们臭。他们不再爱洗澡的时候，请一定抽空儿帮他们洗洗身体，因为他们自己可能洗不干净；我们在享受食物的时候，请给他们准备一小碗容易吃的，因为他们不爱吃可能是因为牙齿咬不动了。

从我们出生开始，父母就在不停地忙碌，教我们生活的基本能力，把人生的经验告诉我们，还让我们读书学习……所以，如果有一天，他们真的动不了了，我们要记住，看父母就是看自己的未来；如果有一天，你像他们一样老时，你希望怎么过？

Rúguǒ yǒu yì tiān， nǐ fāxiàn māma de chúfáng bú zài xiàng yǐqián nàme gānjìng le； rúguǒ yǒu yì tiān， nǐ fāxiàn mǔqin zuò de cài tài xián tài nánchī； rúguǒ yǒu yì tiān， nǐ fāxiàn fùqin kànzhe kànzhe diànshì shuìzháo le； rúguǒ yǒu yì tiān， nǐ fāxiàn fùmǔ bú zài ài chī cuìcuì de shūcài shuǐguǒ le； rúguǒ yǒu yì tiān， nǐ fāxiàn fùmǔ xǐhuan hē xīfàn le；rúguǒ yǒu yì tiān，nǐ fāxiàn tāmen fǎnyìng màn le；rúguǒ yǒu yì tiān，nǐ fāxiàn chī fàn de shíhou tāmen zǒngshì késou；rúguǒ yǒu yì tiān...

Rúguǒ yǒu zhème yì tiān，wǒ yào gàosù nǐ：nǐ de fùmǔ zhēnde yǐjing lǎo le，xūyào biéren zhàogù le.

Měi ge rén dōu huì lǎo. Fùmǔ bǐ wǒmen xiān lǎo，wǒmen yīnggāi zhàogù tāmen，guānxīn tāmen. Tāmen kěnéng huì hěn duō shì dōu zuò bù hǎo，rúguǒ fángjiān yǒu wèir，kěnéng tāmen zìjǐ yě wén bú dào，qǐng qiānwàn bú yào xián tāmen zāng huò xián tāmen chòu. Tāmen bú zài ài xǐ zǎo de shíhou，qǐng yídìng chōu kòngr bāng tāmen xǐxǐ shēntǐ，yīnwèi tāmen zìjǐ kěnéng xǐ bù gānjìng；wǒmen zài xiǎngshòu shíwù de shíhou，qǐng gěi tāmen zhǔnbèi yì xiǎo wǎn róngyì chī de，yīnwèi tāmen bú ài chī kěnéng shì yīnwèi yáchǐ yǎo bú dòng le.

Cóng wǒmen chūshēng kāishǐ，fùmǔ jiù zài bùtíng de mánglù，jiāo wǒmen shēnghuó de jīběn nénglì，bǎ rénshēng de jīngyàn gàosu wǒmen，hái ràng wǒmen dú shū xuéxí... Suǒyǐ，rúguǒ yǒu yì tiān，tāmen zhēnde dòng bù liǎo le，wǒmen yào jì-zhù，kàn fùmǔ jiùshì kàn zìjǐ de wèilái；rúguǒ yǒu yì tiān，nǐ xiàng tāmen yíyàng lǎo shí，nǐ xīwàng zěnme guò?

根据课文填空 (Fill in the Blanks According to the Text)

1. 父亲看着看着电视睡(　　)了。
2. 他们可能会很多事都做(　　)，如果房间有味儿，可能他们自己也闻(　　)，请千万不要嫌他们脏或嫌他们臭。他们(　　)爱洗澡的时候，请一定抽空儿帮他们洗洗身体，因为他们自己可能洗(　　)；我们在享受食物的时候，请给他们准备一小碗容易吃的，因为他们不爱吃可能是因为牙齿咬(　　)了。
3. 如果有一天，他们真的动(　　)了，我们要记(　　)，看父母就是看自己的未来。

New Words and Expressions 生词语

1. 难吃	（形）	nánchī	tasteless
2. 脆	（形）	cuì	crisp
3. 稀饭	（名）	xīfàn	porridge
4. 反应	（名）	fǎnyìng	reaction
5. 别人	（代）	biéren	others
6. 照顾	（动）	zhàogù	take care of

7. 关心	(动)	guānxīn	be concerned about
8. 味儿	(名)	wèir	smell; odour
有味儿		yǒu wèir	smell bad
9. 千万	(副)	qiānwàn	by all means; absolutely
10. 嫌	(动)	xián	dislike; complain of; mind
11. 臭	(形)	chòu	foul; stinking
12. 抽(空儿)		chōu (kòngr)	manage to find time
13. 享受	(动)	xiǎngshòu	enjoy
14. 碗	(量)	wǎn	*a measure word,* bowl
15. 爱	(动)	ài	love; like
16. 牙齿	(名)	yáchǐ	tooth
17. 咬	(动)	yǎo	bite
18. 动	(动)	dòng	move
19. 出生	(动)	chūshēng	be born
20. 忙碌	(形)	mánglù	busy
21. 能力	(名)	nénglì	ability
22. 人生	(名)	rénshēng	life
23. 经验	(名)	jīngyàn	experience
24. 了	(动)	liǎo	*(used in conjunction with* "得/不", *after a verb)* can
25. 未来	(名)	wèilái	future

语言点 (Grammar Points)

一 "V不了/V得了"

表示可能/不可能做某事。(This expression indicates it's impossible or possible to do something.)

例：1. 这个菜太辣了，我吃不了，你吃吧。

→ 我吃得了辣的，没关系。

2. 我工作太忙，照顾不了孩子。

→ 你工作那么忙，照顾得了孩子吗？

3. 这个太难了，我翻译不了。

→ 这个太难了，你翻译得了吗？

二 "V_1着V_1着V_2"

一个动作在进行中另一个动作出现了。(This pattern is used to indicate that an action occurs while another action is in progression.)

例：1. 他看着看着电视睡着了，是电视太无聊，还是他太累了？

2. 两个人说着说着就哭了，怎么回事？

3. 我们一边走一边聊，聊着聊着就爬到了山上，一点儿没觉得累。

三 时态小结（了、着、过、呢、正、在）(Summary of Tense and Aspect Markers)

<table>
<tr><td rowspan="4">了</td><td rowspan="2">句中</td><td>一个动作在另一个动作前发生</td><td>1. 以前我常常吃了晚饭去散步。现在我常常吃了晚饭去图书馆。
2. 明天我吃了早饭去找你。</td></tr>
<tr><td>（过去发生的事）完成</td><td>1. 我买了一本书。
2. 我看见了他。
3. 昨天他丢了钱包，很不开心。</td></tr>
<tr><td rowspan="2">句末</td><td>事态发生变化，对另外的事态有影响</td><td>1. 他去图书馆了，不在宿舍。
2. 以前他不喜欢学汉语，现在喜欢（学汉语）了。
3. 他胖了，不太好看了。</td></tr>
<tr><td>事态将发生变化</td><td>1. 如果你不去，我也不去了。
2. 明年九月，我就二十二岁了。</td></tr>
<tr><td>过</td><td colspan="2">经历</td><td>两年前，我看过京剧。</td></tr>
<tr><td>在</td><td colspan="2">进行</td><td>我在学习汉语。</td></tr>
<tr><td>正在</td><td colspan="2">进行</td><td>他来的时候，我正在看电视。</td></tr>
<tr><td>（正）在……呢</td><td colspan="2">进行</td><td>我（正）在学习呢，不能帮你做饭。</td></tr>
<tr><td>着</td><td colspan="2">状态持续</td><td>1. 他穿着一件红毛衣。/墙上贴着一张画儿。
2. 他喜欢看着电视吃饭。
3. 他看着看着睡着了。
4. 外面下着雨呢。</td></tr>
</table>

四 “不再” (Not do sth. any longer.)

例：1. 我吃饱了，不再吃了，你自己吃吧。

2. 我不再喜欢你了，你别来找我了。

3. 医生说他的身体非常不好，他决定不再喝酒了。

五 祈使表达小结 (Summary of Imperative Expressions)

1. (你)应该 V	你应该照顾他们。
2. (你)要 V	一个人在国外，要小心啊。
3. (你)得 V	你得早点儿起床。
4. (你)别 V	别告诉别人，这是秘密(mìmì/secret)。
5. (请你)(千万/一定)不要 V	请一定抽空儿给他们洗洗身体。 请千万不要嫌他脏。
6. 少 V	少说这种话！
7. Clause+吧	我们走吧。

练 习 Exercises

一 选词填空 (Fill in the Blanks with the Following Words)

反应 出生 咳嗽 享受 经验 忙碌 照顾

1. 你告诉他的时候，他有什么(　　)？
2. 你怎么(　　)得这么厉害，是不是感冒了？
3. (　　)了一整天，今晚去酒吧好好放松放松吧。
4. 孩子(　　)以后，我就整天不停地忙。
5. 年轻的父母没有(　　)，不知道该怎么(　　)孩子，所以，孩子的爷爷奶奶或姥爷姥姥就来帮忙。

6. 你真会(　　)啊,这么近的路还开车去。

咬　脆　像　嫌　臭　抽

1. 这个孩子刚出生的时候(　　)妈妈,现在越来越(　　)爸爸了。
2. 最近你(　　)空儿回家一趟吧,你已经好久没回去了。
3. 我喜欢吃又(　　)又甜的苹果,你呢?
4. 你别(　　)他不好看,他很聪明。
5. 狗(　　)吕洞宾(Lǔ Dòngbīn/one of the Eight Immortals),不识好人心。
6. 什么地方最(　　)?

二 用"V不了/V得了"完成句子 (Complete the Sentences with "V不了/V得了")

1. 对不起,我有事,________________。
2. 明天晚上八点我们有聚会,你________________吗?
3. 这是他的老习惯了,________________。
4. 你的腿还没有完全好,________________。
5. 只要你决定戒烟,________________。
6. 白酒太辣了,________________。

三 用"V+着"完成对话 (Complete the Dialogues with "V+着")

1. A: 别着急,我们一定帮你找到孩子。告诉我,她走丢的时候是什么样子?
   B: ________________。
2. A: ________________,今晚你就住在我这儿吧。
   B: 不行,不行,我妈妈在家等我呢。再说,我带着伞呢。
3. A: 为什么你们叫他"沙发土豆"(shāfā tǔdòu/sofa potato)?
   B: ________________。
4. A: 那个电影怎么样?
   B: ________________。

四 判断正误 (True or False)

1. 上个星期,我坐火车去上海,见到我的朋友。□
2. 到上海以后,我很累了,所以,我就在饭店睡觉了两个小时。□
3. 这本书我看三天,还没看完了。□
4. 你该去睡觉了。□
5. 我小时候住欧洲过半年。□
6. 我没去过日本。□
7. 他喜欢听着音乐做作业。□
8. 我们走着走着看见了一条大河。□
9. 我去的时候,他正在听音乐呢。□
10. 明天晚上九点,我可能正在睡觉,别给我打电话。□

五 用指定词语说话 (Talk about the Following Topic, Using the Given Expressions)

假设你们是夫妻，两个人一起商量一下请老人帮忙照顾孩子。

会　V不了　着　不再　千万

六 自由表达 (Express in Your Own Words)

1. 两个人一组,假设是兄弟姐妹,谈谈父母最近的变化。
2. 分国别谈谈老人问题。

七 阅读理解 (Reading Comprehension)

爸爸的心情

爸爸是家庭里遮风挡雨的人。

爸爸的爱好是看报纸。

四十岁以前的爸爸是运动员,上班、下班,像一阵风,我们总是赶不上他。

六十岁以后的爸爸是一把椅子,他一回家,就坐着不动了。

只有当中二十年的爸爸正好,他会带我们去玩儿,还会讲故事给我们听。

爸爸说:“从你们出生,我就失去了宁静。”

所有的爸爸都怕吵。大概爸爸做孩子的时候,都是顽皮少年,所以等到他当了爸爸,就老是希望孩子们早点儿上床。

如果爸爸不生气,我们全家就有一个好天气。

爸爸的口头语是:“等一下再说。”

老了的爸爸就像一根草,可是在女儿心中,这根草曾经是 堵墙。

爸爸的梦想是做一片云,或者就像海鸥,可以在天空自由地飞。

当我们长大,爸爸就变成了一个老人。

当白发和皱纹成为爸爸的亲密老友时,我也看到了将来的我。

(据《读者》2003/22期隐地文)

回答问题

1. 爸爸四十岁以前是运动员吗?
2. 为什么说六十岁以后的爸爸是一把椅子?
3. 你喜欢自己的父亲吗?为什么?

Additional Vocabulary 补充词语

1. 遮	(动)	zhē	keep out; shelter from
2. 挡	(动)	dǎng	shield from
3. 赶不上		gǎnbushàng	can't catch up with
4. 失去	(动)	shīqù	lose
5. 宁静	(形)	níngjìng	peaceful; calm
6. 吵	(形)	chǎo	noisy
7. 顽皮	(形)	wánpí	naughty
8. 口头语	(名)	kǒutóuyǔ	speech mannerism
9. 海鸥	(名)	hǎi'ōu	sea-gull
10. 皱纹	(名)	zhòuwén	wrinkle

第五十课 好 咖啡 总是 放 在 热杯子里的

Dì-wǔshí Kè Hǎo Cāfēi Zǒngshì Fàngzài Rè Bēizi li de

听录音,回答问题

好咖啡为什么总是放在热杯子里?

有一年寒假,我和爱人去欧洲旅行,经过罗马的时候,一位朋友带我们去喝咖啡。

那是一个美丽的清晨。

我们跟着他穿过一条小路,石块儿拼成的街道非常美丽,走久了,会让人忘记目的地,以为自己是出来踏石块儿的。忽然,一阵咖啡的香味儿飘过来,不用朋友说,就知道咖啡店到了。

咖啡店不是很大,但是客人不少,三三两两地坐在桌子旁边,一边喝着咖啡,一边聊天儿。

我们也在一张桌子旁边坐下来,服务员给我们拿来小白瓷杯,白瓷厚厚的。我捧在手里,忍不住惊讶地说:"咦,这杯子还是热的呢!"

服务员转过身来,笑着说:"女士,好咖啡总是放在热杯子里的!"

是的,好咖啡总是应该放在热杯子里的,凉杯子会把咖啡变凉,香味儿也会淡一些。其实,好茶好酒不也都是这样吗?不知道那端咖啡的服务员要告诉我什么。我愿自己也是香香的咖啡,认真、仔细地放在一个洁白温暖的厚瓷杯里,带动一个美丽的清晨。

Yǒu yì nián hánjià, wǒ hé àiren qù Ōuzhōu lǚxíng, jīngguò Luómǎ de shíhou, yí wèi péngyou dài wǒmen qù hē kāfēi.

Nà shì yí ge měilì de qīngchén.

Wǒmen gēnzhe tā chuānguò yì tiáo xiǎolù, shíkuàir pīnchéng de jiēdào fēicháng měilì, zǒu jiǔ le, huì ràng rén wàngjì mùdìdì, yǐwéi zìjǐ shì chūlai tà shíkuàir de. Hūrán, yí zhèn kāfēi de xiāngwèir piāo guolai, búyòng péngyou shuō, jiù zhīdào kāfēidiàn dào le.

Kāfēidiàn bú shì hěn dà, dànshì kèrén bù shǎo, sānsān-liǎngliǎng de zuòzài zhuōzi pángbiān, yìbiān hēzhe kāfēi, yìbiān liáo tiānr.

Wǒmen yě zài yì zhāng zhuōzi pángbiān zuò xialai, fúwùyuán gěi wǒmen nálái xiǎo bái cíbēi, báicí hòuhòude. Wǒ pěng zài shǒu li, rěn bu zhù jīngyà de shuō: "Yí, zhè bēizi háishi rède ne! "

Fúwùyuán zhuǎnguò shēn lai, xiàozhe shuō: "Nǚshì, hǎo kāfēi zǒngshì fàngzài rè bēizi li de! "

Shìde, hǎo kāfēi zǒngshì yīnggāi fàngzài rè bēizi li de, liáng bēizi huì bǎ kāfēi biàn liáng, xiāngwèir yě huì dàn yìxiē. Qíshí, hǎo chá hǎo jiǔ bù yě dōu shì zhèyàng ma? Bù zhīdào nà duān kāfēi de fúwùyuán yào gàosu wǒ shénme. Wǒ yuàn zìjǐ yě shì xiāngxiāng de kāfēi, rènzhēn, zǐxì de fàngzài yí ge jiébái wēnnuǎn de hòu cíbēi li, dàidòng yí ge měilì de qīngchén.

根据课文填空 (Fill in the Blanks According to the Text)

1. 我们(　　)他穿过一条小路。
2. 不用朋友说,(　　)知道咖啡店到了。
3. 客人三三两两地坐(　　)桌子旁边。
4. 服务员(　　)我们拿来小白瓷杯。

New Words and Expressions 生词语

1.	寒假	(名)	hánjià	winter holiday
2.	爱人	(名)	àiren	husband or wife
3.	经过	(动)	jīngguò	pass
4.	美丽	(形)	měilì	beautiful
5.	清晨	(名)	qīngchén	early morning
6.	跟	(动)	gēn	follow
7.	穿过	(动)	chuānguò	go through
8.	石块儿	(名)	shíkuàir	stone
9.	拼	(动)	pīn	put; piece together
10.	街道	(名)	jiēdào	street
11.	目的地	(名)	mùdìdì	destination

12. 踏	(动)	tà	tread; stamp
13. 忽然	(副)	hūrán	suddenly
14. 阵	(量)	zhèn	*measure word for sth. that happens abruptly and lasts a short time*
15. 飘	(动)	piāo	blow; drift about
16. 不用	(助)	búyòng	needn't
17. 三三两两		sānsān-liǎngliǎng	in or by twos and threes
18. 瓷	(名)	cí	china
19. 厚	(形)	hòu	thick
20. 捧	(动)	pěng	clasp; hold in both hands
21. 惊讶	(形)	jīngyà	amazed; astounded
22. 咦	(叹)	yí	well; why (expressing surprise)
23. 转身		zhuǎn shēn	turn round
24. 凉	(形)	liáng	cool
25. 淡	(形)	dàn	light
26. 端	(动)	duān	hold sth. level
27. 愿	(动)	yuàn	wish
28. 认真	(形)	rènzhēn	serious; earnest; concientious
29. 仔细	(形)	zǐxì	careful
30. 洁白	(形)	jiébái	pure white
31. 温暖	(形)	wēnnuǎn	warm
32. 带动	(动)	dàidòng	drive; spur on

专有名词

1. 欧洲	Ōuzhōu	Europe
2. 罗马	Luómǎ	Roma

单元语言点小结 (Summary of Grammar Points)

语言点	课数	例句
1. "过"	46	我只吃过一次北京烤鸭,你呢?
2. "V 下去"	46	别停,说下去。
3. "才"(2)	46	现在才十点,看一会儿电视再睡吧。
4. 百以上的称数法(千、万)	46	一千零八十/四万零七百九十
5. "除了……(以外),……也/都……"	47	除了中国菜以外,我还喜欢吃泰国菜。/除了香菜以外,别的菜我都喜欢吃。
6. "一边……,一边……"	47	他们一边走,一边聊天。
7. "真是一+MW+N"	47	今天真是一个好天气!
8. "难道……"	48	怎么?难道你不是美国人吗?
9. "一+MW+N+也不/没+V"	48	我一个字也不认识,怎么办?
10. "一点儿也不+adj."	48	他一点儿也不冷。
11. "哪儿/谁/什么 etc.+也不/没+V"	48	他病了,什么也不想吃。
12. "V 不了/V 得了"	49	这个菜太辣了,我吃不了。
13. "V_1 着 V_1 着 V_2"	49	他看着看着电视睡着了。
14. "不再"	49	我抽得太多了,不再抽了。

练 习 Exercises

一 选词填空 (Fill in the Blanks with the Following Words)

带 飘 端 穿 拼 放 变

1. 经过罗马的时候，一位朋友(　　)我们去喝咖啡。
2. 我们跟着他(　　)过一条小路，石块儿(　　)成的街道非常美丽。
3. 忽然，一阵咖啡的香味(　　)过来。
4. 好咖啡总是应该(　　)在热杯子里的。
5. (　　)杯子的服务员要告诉我什么？
6. 凉杯子会把咖啡(　　)凉的。

突然 忽然

1. 真奇怪，刚才还好好的，怎么(　　)就哭了？
2. 这件事太(　　)了，我不知道该怎么办。
3. (　　)来了一阵大风，把窗户吹开了。
4. 谁也没想到会发生这么(　　)的事。

二 短文填空 (Cloze)

闻 凉 总是 捧 温暖

大部分中国人都喜欢喝茶。夏天，喝上一杯(　　)茶，马上就不觉得热了；冬天，把一杯热热的茶(　　)在手里，马上就会觉得(　　)起来。以前，中国各地都有很多茶馆，你走到哪里，都能(　　)到茶的香味儿。中国人喜欢一边喝茶，一边聊天或看戏。所以，茶馆里(　　)很热闹。现在，北京有一个老舍茶馆，挺有名的。你去过吗？

三 完成对话 (Complete the Dialogues with the Given Expressions)

1. A：你吃饭的时候，喜欢看电视吗？
   B：是的，____________________。(一边……一边……)
2. A：你为什么不去酒吧玩儿了？

B：________________________________。（不再）

3. A：这件事我不会做，你能帮我吗？

   B：对不起，____________________________。（V 不了）

4. A：你中午要午休吗？

   B：我____________________________。（一点儿也不）

5. A：你去过哪些地方？

   B：____________________________。（除了……（以外））

四 改写句子 (Rewrite the Following Sentences with the Given Expressions)

1. 那个比赛太棒了，你也去看看吧。

   → ________________________________（adj.+极了）

2. 你唱得挺好的，继续唱吧。

   → ________________________________（V 下去）

3. 这些人我都不认识，怎么办？

   → ____________________________（一+MW+N+也不）

4. 今天我不高兴，不想说话。

   → ________________________________（什么也不）

5. 你吃了一个香蕉，太少了，再吃一个吧。

   → ____________________________________（才）

五 用指定词语说话 (Talk about the Following Topic, Using the Given Expressions)

两个人一组，谈谈喝咖啡。

过　着　一边　除了……以外　V 得了　adj.+极了　难道

六 自由表达 (Express in Your Own Words)

1. 三人一组，“我”、朋友和服务员，表演一下这个故事。
2. 课文的作者要告诉我们什么？谈谈你的看法。

七 将以下句子排序，组成一个段落（Arrange the Following Sentences to Form a Paragraph）

1. 开会的时候，小王突然说："我放在桌子上的手表不见了！"
2. 所以，经理对大家说：
3. 现在关灯五分钟，
4. "请拿手表的人，把表放在门口那张有闹钟的桌子上。"
5. 大家一个一个地走出去，
6. 我有一个好办法来解决这个问题。
7. 而且闹钟也不见了。
8. 五分钟以后，
9. 桌子上没有手表，
10. 电灯亮了。

八 阅读与写作（Reading and Composition）

坏脾气的男孩儿

从前，有一个男孩儿，他很容易生气，常常大发脾气，一个朋友也没有。有一天，他的爸爸给了他一袋钉子，告诉他，每次发脾气或者跟人吵架的时候，就在墙上钉一根钉子。第一天，男孩惊讶地发现，他钉了三十七根钉子！后面的几天，他努力控制自己的脾气，结果，每天钉的钉子也越来越少了。他发现，控制自己的脾气比钉钉子容易多了。终于有一天，他一根钉子都没有钉，他高兴地把这件事告诉了爸爸。

爸爸说："从今天开始，如果你一天都没有发脾气，就可以在这天拔掉一根钉子。"日子一天一天过去，最后，钉子全都拔完了。爸爸带他来到墙边，对他说："儿子，你做得很好。可是看看墙上的钉子洞，这些洞永远留在这里了，就像你和一个人吵架，说了些难听的话，你就在他心里留下了一个伤口，像这个钉子洞一样。"

回答问题

1. 看完这个故事，你有什么想法？

2. 你有没有发完脾气以后非常后悔的时候？把你的故事写下来。

Additional Vocabulary 补充词语

1. 发脾气		fā píqi	lose one's temper
2. 吵架		chǎo jià	quarrel
3. 控制	（动）	kòngzhì	control
4. 拔	（动）	bá	pull out
5. 伤口	（名）	shāngkǒu	wound

第五十一课　黄金周：痛痛快快 玩儿一周

Dì-wǔshíyī　Kè　Huángjīnzhōu: Tòngtòng-kuàikuài Wánr Yì Zhōu

听录音，回答问题

1. 姐姐为什么羡慕"我"？
2. 姐姐有什么大计划？

我的老家是河北省的一个小城。二十七岁以前，姐姐没有去过河北省以外的地方。那时候，姐姐的假期很少，只有春节才能连着休息六七天。可是，春节是全家团圆的日子，她哪儿也不能去。

1997年，我大学毕业，留在北京一家公司当推销员，能够全国各地到处跑，姐姐很羡慕："我上学的时候没有钱，工作以后又没有时间。要是能有一个长假期，我一定要跑遍中国。"

没想到，姐姐的这个愿望很快就实现了。1999年，政府开始实行"黄金周"休假制度：每年的春节、"五一"和"十一"，全国放假三天，加上周末，有整整一周的时间！对辛苦工作的人来说，有这么一个长长的假期，真是太难得了。

黄金周还没到，姐姐就开始做旅行的准备工作，一方面决定去什么地方，另一方面再联系好旅行社，只等休假开始，马上就出发。几年过去，姐姐已经去过了很多地方：去海边晒过太阳，去草原骑过大马，看过黄河，游过长江……

"外面的世界真精彩！"每次旅行回来，姐姐都会开心地说这么一句。

现在她已经制定了一个大计划：一个省一个省地看，一个地方一个地方地走，直到走遍中国，老得走不动了才停。

我的姐姐，一个普通的青年人，因为有这样的一个长假期，生活变得越来越丰富。我愿她身体健康，跑遍中国以后，再去外国看一看。

Wǒ de lǎojiā shì Héběi Shěng de yí ge xiǎo chéng. Èrshíqī suì yǐqián, jiějie méiyǒu qùguo Héběi Shěng yǐwài de dìfang. Nà shíhou, jiějie de jiàqī hěn shǎo, zhǐyǒu Chūn Jié cáinéng liánzhe xiūxi liù-qī tiān. Kěshì, Chūn Jié shì quánjiā tuányuán de rìzi, tā nǎr yě bù néng qù.

Yī-jiǔ-jiǔ-qī nián, wǒ dàxué bìyè, liúzài Běijīng yì jiā gōngsī dāng tuīxiāoyuán, nénggòu quánguó gè dì dàochù pǎo, jiějie hěn xiànmù: "Wǒ shàng xué de shíhou méiyǒu qián, gōngzuò yǐhòu yòu méiyǒu shíjiān. Yàoshi néng yǒu yí ge cháng jiàqī, wǒ yídìng yào pǎobiàn Zhōngguó."

Méixiǎngdào, jiějie de zhège yuànwàng hěn kuài jiù shíxiàn le. Yī-jiǔ-jiǔ-jiǔ nián, zhèngfǔ kāishǐ shíxíng "Huángjīnzhōu" xiū jià zhìdù: měi nián de Chūn Jié, "wǔ-yī" hé "shí-yī", quán guó fàng jià sān tiān, jiā shàng zhōumò, yǒu zhěngzhěng yì zhōu de shíjiān! Duì xīnkǔ gōngzuò de rén láishuō, yǒu zhème yí ge chángcháng de jiàqī, zhēn shì tài nándé le.

Huángjīnzhōu hái méi dào, jiějie jiù kāishǐ zuò lǚxíng de zhǔnbèi gōngzuò, yì fāngmiàn juédìng qù shénme dìfang, lìng yì fāngmiàn zài liánxì hǎo lǚxíngshè, zhǐ děng xiū jià kāishǐ, mǎshàng jiù chūfā. Jǐ nián guòqu, jiějie yǐjing qùguole hěn duō dìfang: qù hǎibiān shàiguo tàiyáng, qù cǎoyuán qíguo dà mǎ, kànguo Huáng Hé, yóuguo Cháng Jiāng ...

"Wàibian de shìjiè zhēn jīngcǎi!" Měi cì lǚxíng huílai, jiějie dōu huì kāixīn de shuō zhème yí jù.

Xiànzài tā yǐjing zhìdìngle yí ge dà jìhuà: yí ge shěng yí ge shěng de kàn, yí ge dìfang yí ge dìfang de zǒu, zhídào zǒubiàn Zhōngguó, lǎo de zǒu bú dòng le cái tíng.

Wǒ de jiějie, yí ge pǔtōng de qīngniánrén, yīnwèi yǒu zhèyàng de yí ge cháng jià-qī, shēnghuó biàn de yuèláiyuè fēngfù. Wǒ yuàn tā shēntǐ jiànkāng, pǎobiàn Zhōng-guó yǐhòu, zài qù wàiguó kàn yí kàn.

根据课文填空 (Fill in the Blanks According to the Text)

1. 二十七岁(　　),姐姐没有去过河北省(　　)的地方。
2. 我大学毕业以后,(　　)在北京一(　　)公司(　　)推销员,能够全国各地到处(　　)。
3. 姐姐的假期很少,(　　)春节才能连着休息六七天。
4. 做好准备,只等休假开始,马上(　　)出发。
5. 她计划一个省一个省地看,(　　)到走遍中国,老得走不动了(　　)停。
6. 我愿她跑(　　)中国以后,(　　)去外国看一看。

New Words and Expressions 生词语

1.	老家	(名)	lǎojiā	hometown
2.	城	(名)	chéng	city
3.	以外	(名)	yǐwài	beyond; outside
4.	只有…才…	(连)	zhǐyǒu... cái...	only if
5.	连着	(副)	liánzhe	continuously; in succession
6.	团圆	(动)	tuányuán	reunion
7.	推销员	(名)	tuīxiāoyuán	salesman
8.	羡慕	(动)	xiànmù	envy; admire
9.	(跑)遍	(动)	(pǎo)biàn	all over
10.	愿望	(名)	yuànwàng	wish; desire
11.	政府	(名)	zhèngfǔ	government; administration
12.	实行	(动)	shíxíng	carry out
13.	休假		xiū jià	vacation
14.	制度	(名)	zhìdù	system; regulation
15.	难得	(形)	nándé	hard to come by
16.	旅行社	(名)	lǚxíngshè	travel agency
17.	海边	(名)	hǎibiān	seaside; beach
18.	晒	(动)	shài	shine on
19.	草原	(名)	cǎoyuán	grasslands
20.	马	(名)	mǎ	horse
21.	制定	(动)	zhìdìng	lay down; work out
22.	省	(名)	shěng	province
23.	普通	(形)	pǔtōng	common; ordinary
24.	青年	(名)	qīngnián	youth; young people
25.	外国	(名)	wàiguó	foreign country

专有名词

Proper Nouns

1. 河北省　Héběi Shěng　Hebei Province
2. 黄金周　Huángjīnzhōu　the Golden week
3. 五一　wǔ-yī　the International Labour Day
4. 十一　shí-yī　the National Day of China
5. 黄河　Huáng Hé　the Yellow River
6. 长江　Cháng Jiāng　the Yangtze River

语言点 (Grammar Points)

一 "一方面，另一方面"

用于从两个方面提出理由或做出评论。(This pattern is usually used to provide reasons or make comments from two perspectives.)

例：1. 我来中国，一方面是因为我喜欢汉语，另一方面是因为我想交中国朋友。

2. 很多人来北京都要吃烤鸭，一方面是因为烤鸭很好吃，另一方面也是因为烤鸭很有名。

3. 看电视一方面可以帮助我们提高汉语水平，另一方面也会浪费时间。

4. 手机一方面给我们的生活带来很多方便，另一方面也会带来一些麻烦。

二 数量词重叠 (一MW(N) + 一MW(N) + V, This pattern is used to describe the actions which take place one by one.)

例：1. 饭要一口一口地吃，事儿要一件一件地做。

2. 他很苦恼，一杯一杯不停地喝酒。

3. 他很喜欢看小说，一本一本地看，看完一本又看一本。

三 “只有……才……”

用于表示充分条件。(Only if; Provided that)

例：1. 他不太喜欢喝酒，只有特别高兴的时候，才喝一点儿。

2. 只有你爱别人，别人才会爱你。

3. 这件事只有这么办，才能办好。

练 习 Exercises

一 请写出带“员”、“家”的词语 (Write the Words Including “员” or “家”)

推销员 _____ _____ _____ _____ _____

画　家 _____ _____ _____ _____ _____

二 选词填空 (Fill in the Blanks with the Following Words)

愿望　羡慕　愿　理想

1. 我小时候有一个(　　)，想当大学老师。
2. 你现在最大的(　　)是什么？
3. 朋友明天结婚，我(　　)她生活幸福。
4. 他有那么好的朋友，真让人(　　)。

普通　一般

1. 我只是一个(　　)老师。
2. 这个学校很(　　)，不太好。
3. 你的(　　)话说得真好。
4. 他穿得很(　　)，不像个大明星(míngxīng/bright star)。
5. 春节的时候，人们(　　)都回家和家人团圆。
6. 他可不是(　　)人，你别小看他。

放假　休假　假期

1. 明天就(　　)了，你有什么打算？
2. 这个(　　)你是怎么过的？
3. (　　)的时候，我喜欢去农村(　　)。

4. 这个(　　)很长,我们去旅行吧。

三 短文填空(Cloze)

休息　连着　休假　旅行　只有　政府　丰富　实行

人们(　　)时间的长短,可以说明一个国家生活水平的高低。以前,中国假期很少,一个星期只能(　　)一天,(　　)春节的时候,才能(　　)休息六七天。后来,(　　)了双休日制度,一个星期可以连着休息两天。到1999年,中国(　　)开始实行"黄金周"制度,每年的春节、"五一"和"十一",可以休息一个星期。人们的生活水平提高了,钱多了,可以去各地(　　)了,生活也变得越来越(　　)了。

四 用"一方面,另一方面"回答问题(Answer the Questions with"一方面,另一方面")

1. 电脑在现代生活中的作用是什么?
→ ______
2. 跟旅行社去旅行,你觉得好不好?
→ ______
3. 为什么学汉语的人越来越多?
→ ______
4. 他为什么不同意你的看法?
→ ______

五 改写句子(Rewrite the Following Sentences with "一 MW+一 MW+V")

1. 饺子太好吃了,他不停地吃,吃了好几碗。
→ ______
2. 上下班的时候,路上的车非常多,开过来开过去的。
→ ______
3. 她很喜欢买衣服,买了很多衣服。
→ ______
4. 别着急,我们慢慢地记,一定能记住这些汉字的。
→ ______

5. 她很想父母，来中国后给父母写了很多信。

→ ______________________________

六 用"只有……才……"完成对话 (Complete the Dialogues with"只有……才……")

1. A：这所大学很难考吧？

   B：是啊，______________________________。

2. A：我怎么做，你才会原谅我？

   B：______________________________？

3. A：你喜欢吃方便面吗？

   B：不喜欢，______________________________？

4. A：你常常睡懒觉吗？

   B：不，______________________________？

七 用指定词语说话 (Talk about the Following Topic, Using the Given Expressions)

1. 和你的朋友谈一谈，不开心的时候喝酒是不是一个好办法？你有什么办法？

   一方面，另一方面/只有……才……/一 MW+一 MW+V

2. 如果要去旅行，怎么样做准备？

   一方面，另一方面/只有……才……/一 MW+一 MW+V

八 自由表达 (Express in Your Own Words)

1. 两个人一组，一人做记者，一人做"姐姐"，采访"姐姐"对黄金周的看法。
2. 同一国家的同学一组，谈谈你们国家的人们一般怎么过假期，然后请一人做发言人。

九 阅读理解 (Reading Comprehension)

游长城

有人说没去过长城就不能说到过中国，所以我早就想去长城看看。上个周末。我终于看到了世界七大奇迹之一的长城。长城真的非常伟大！在太阳下面，站在又高又长的长城上，看着远处那么漂亮的风景，我非常感动！在登长城的时候，我还遇到了两位老人，他们在国外生活了四十多年，这是他们四十年来第一次回到祖国。过去，虽然他们也很想念祖国，但是因为工作太忙，生活很紧张，没有时间回来。现在他们都退休了，这才回到了久别的祖国。

在与老人聊天的时候，我们的旁边上来一群年轻的学生，他们说着笑着，一路跑了过去。看着这对老人满头的白发，听着年轻学生愉快的笑声，摸着古老的城墙，我有一种特别的感觉。历史在这儿相遇了。我好像回到了过去，又好像进入了未来。古老的长城永远站在这儿，看着他的儿女，也看着世界各地的人们。

我希望以后有机会再去长城。

Additional Vocabulary 补充词语

1. 奇迹	（名）	qíjì	miracle
2. 感动	（形）	gǎndòng	be moved
3. 祖国	（名）	zǔguó	motherland
4. 退休	（动）	tuìxiū	retire
5. 群	（量）	qún	*a measure word,* group
6. 相遇	（动）	xiāngyù	meet (each other)

第五十二课　一个 电话

Dì-wǔshí'èr Kè　Yí Ge Diànhuà

听录音,回答问题

那个电话是谁打的?

我儿子上初中三年级的时候,他父亲去世了。父亲去世后,他的性格有了很大的变化,学习成绩一天比一天差。我想了各种办法帮助他,但是我越想帮他,他离我越远,不愿意和我谈话。学期结束时,他已经缺课九十五次,物理、化学和外语考试都不及格。这样看来,他很有可能连初中都毕不了业。我很着急,用了各种各样的办法,但是,批评和表扬都没有用。他还是老样子。

有一天,我正在上班,突然接到一个电话。一个男人说他是学校的辅导老师:"我想和你谈谈张亮缺课的情况。"

我把自己的苦恼和对儿子的爱都告诉了这个陌生人。最后我说:"我爱儿子,我不知道该怎么办。看着他那个样子,我很难过。我想了各种办法,想让他重新喜欢学校,但是…… 唉,这一切都没有作用,我已经没有办法了。"

我说完以后,电话那头儿没有回答。过了一会儿,那位老师说:"谢谢您抽时间和我谈话。"就挂上了电话。

儿子的下一次成绩单来了,我高兴地看到他的学习有了很大的进步。

一年过去了,儿子上了高中。在一次家长会上,老师表扬了他的进步。

回家的路上,儿子问我:"妈妈,还记得一年前那位辅导老师给您打的电话吗?"

我点了点头。

“那是我。”儿子说，“我本来是想和您开个玩笑的。但是听了您的话，我心里很难过。那时候，我才知道，爸爸去世了，您多不容易啊！我下决心，一定要成为您的骄傲。”

（据《文萃》2003/22 陈明编译）

Wǒ érzi shàng chūzhōng sān niánjí de shíhou, tā fùqin qùshì le. Fùqin qùshì hòu, tā de xìnggé yǒule hěn dà de biànhuà, xuéxí chéngjì yì tiān bǐ yì tiān chà. Wǒ xiǎngle gèzhǒng bànfǎ bāngzhù tā, dànshì wǒ yuè xiǎng bāng tā, tā lí wǒ yuè yuǎn, bú yuànyì hé wǒ tánhuà. Xuéqī jiéshù shí, tā yǐjing quē kè jiǔshíwǔ cì, wùlǐ, huàxué hé wàiyǔ kǎoshì dōu bù jígé. Zhèyàng kànlái, tā hěn yǒu kěnéng lián chūzhōng dōu bì bu liǎo yè. Wǒ hěn zháojí, yòngle gèzhǒng gèyàng de bànfǎ, dànshì, pīpíng hé biǎoyáng dōu méiyǒu yòng. Tā háishi lǎo yàngzi.

Yǒu yì tiān, wǒ zhèngzài shàng bān, tūrán jiēdào yí ge diànhuà. Yí ge nánrén shuō tā shì xuéxiào de fǔdǎo lǎoshī: “Wǒ xiǎng hé nǐ tántán zhāng Liàng quē kè de qíngkuàng.”

Wǒ bǎ zìjǐ de kǔnǎo hé duì érzi de ài, dōu gàosule zhè ge mòshēngrén. Zuìhòu wǒ shuō: “Wǒ ài érzi, wǒ bù zhīdào gāi zěnme bàn. Kànzhe tā nàge yàngzi, wǒ hěn nánguò. Wǒ xiǎngle gèzhǒng bànfǎ, xiǎng ràng tā chóngxīn xǐhuan xuéxiào, dànshì... Ài, zhè yíqiè dōu méiyǒu zuòyòng, wǒ yǐjing méiyǒu bànfǎ le.”

Wǒ shuōwán yǐhòu, diànhuà nà tóur méiyǒu huídá. Guòle yíhuìr, nà wèi lǎoshī shuō: “Xièxie nín chōu shíjiān hé wǒ tánhuà.” Jiù guàshàngle diànhuà.

Érzi de xià yí cì chéngjìdān lái le, wǒ gāoxìng de kàndào tā de xuéxí yǒule hěn dà de jìnbù.

Yì nián guòqu le, érzi shàngle gāozhōng. Zài yí cì jiāzhǎnghuì shang, lǎoshī biǎoyángle tā de jìnbù.

Huí jiā de lùshang. Érzi wèn wǒ: “Māma, hái jìde yì nián qián nà wèi fǔdǎo lǎoshī gěi nín dǎ de diànhuà ma?”

Wǒ diǎn le diǎn tóu.

“Nà shì wǒ.” Érzi shuō, “Wǒ běnlái shì xiǎng hé nín kāi ge wánxiào de. Dànshì tīngle nín de huà, wǒ xīnli hěn nánguò. Nà shíhou, wǒ cái zhīdào, bàba qùshì le, nín duō bù róngyì a! Wǒ xià juéxīn, yídìng yào chéngwéi nín de jiāo'ào.”

根据课文填空 (Fill in the Blanks According to the Text)

1. 有一天，我正在（　　）班，突然接到一个电话。
2. 那位老师说：“谢谢您抽时间和我谈话。”就挂（　　）了电话。

3. 儿子的(　　)一次成绩单来了,我高兴地看到他的学习有了很大的进步。
4. 一年过去了,儿子(　　)了高中。
5. 在一次家长会(　　),老师表扬了他的进步。
6. 我(　　)决心,一定要成为您的骄傲。

New Words and Expressions 生词语

1. 儿子	(名)	érzi	son
2. 去世	(动)	qùshì	die
3. 性格	(名)	xìnggé	disposition; temperament
4. 成绩	(名)	chéngjì	result; grade
5. 愿意	(助动)	yuànyì	be willing
6. 谈话	(动)	tánhuà	talk
7. 结束	(动)	jiéshù	finish; end
8. 缺课		quē kè	be absent from class
9. 物理	(名)	wùlǐ	physics
10. 化学	(名)	huàxué	chemistry
11. 外语	(名)	wàiyǔ	foreign language
12. 及格	(动)	jígé	pass(a test)
13. 连…也/都	(连)	lián... yě/dōu	even
14. 批评	(动)	pīpíng	criticise
15. 表扬	(动)	biǎoyáng	praise
16. 作用	(名)	zuòyòng	result; effect
17. 回答	(动)	huídá	answer
18. 成绩单	(名)	chéngjìdān	school report
19. 家长	(名)	jiāzhǎng	parent or guardian of a child
20. 会	(名)	huì	meeting
21. 记得	(动)	jìde	remember
22. 点头		diǎn tóu	nod

23. 本来	（副）	běnlái	originally; at first
24. 玩笑	（名）	wánxiào	joke; jest
开玩笑		kāi wánxiào	make fun of
25. 决心	（名）	juéxīn	determination
26. 成为	（动）	chéngwéi	become
27. 骄傲	（形）	jiāo'ào	proud

语言点 (Grammar Points)

一 "一天比一天 / 一年比一年" (Day by Day / Year by Year)

例：1. 你怎么一天比一天瘦？有什么不开心的事儿吗？

2. 人们的生活一年比一年好了。

二 "越……越……" (The more……, the more……)

例：1. 雨越下越大，怎么办？

2. 我越爬越累，只好停下来休息一会儿。

3. 十多岁的孩子有时要坚持自己的看法，不愿意听父母的话，父母越说，他们越不听。

三 "连……也/都……" (Even)

例：1. 这个汉字太难了，连老师也不认识。

这个汉字太简单了，连三岁的孩子都认识。

2. 我去过的地方很少，连长城也没去过。

他去过很多地方，连南极(Nánjí/the South Pole)都去过。

3. 他很努力，连星期天都去图书馆看书。

他一点儿也不努力，连考试前也不好好复习。

四 “V上”

表示动作后某物附着在另外的东西上。(When “上” is used after a verb, it indicates that something is attached to another thing after the action.)

例：1. 你怎么把电话挂上了？我还没说完呢？

2. 戴上帽子，跟我走。

3. 写上你的名字。

练习 Exercises

一 写出你知道的专业或课程的名称 (Write the Names of Majors You Know)

______ ______ ______ ______ ______ ______

二 选词填空 (Fill in the Blanks with the Following Words)

本来　结束　难过　及格　记得　开玩笑　骄傲

1. 你们这个学期什么时候开始，什么时候(　　)？
2. 你还(　　)小时候的事吗？
3. 我(　　)不想来的，是他让我来的。
4. 如果你考试不(　　)，你的父母会批评你吗？
5. 别(　　)了，以后努力吧。
6. 现在在开会呢，别(　　)了。
7. 你是父母的(　　)吗？

三 短文填空 (Cloze)

性格　表扬　愿意　要求　批评　家长　谈话　作用　成绩

怎么教育孩子是一个很重要的问题。父母对孩子的态度，会影响(yǐngxiǎng/affect)到孩子的(　　)和做事的方式。在中国，有一个传统(chuántǒng/traditional)的看法：打是亲，骂是爱。意思是说要对孩子严格(yángé/strict)(　　)。所以，一般的家长不习惯（　　）孩子，但是，当孩子做错事的时候，他们一定会（　　）孩子。大部分中国的家长都认为孩子的学习（　　）是很重要的，他们非常关心孩子的学习，（　　）花很多钱让孩子学习。现在，越来越多的年轻（　　）开始认识到，表扬对孩子有很大的（　　），他们也开始注意和孩子（　　）的方式。

四　使用"连……也……"句式回答问题（Answer the Questions with"连……也"）

1. 姐姐去了很多地方旅行，对吗？
   →______________________________
2. 他的时间安排得满满的，对吗？
   →______________________________
3. 那家餐厅不好，很多菜都没有，对吗？
   →______________________________
4. 京剧的台词，只有留学生听不懂，对吗？
   →______________________________

五　用"越……越……"完成对话（Complete the Dialogues with 越……越……）

1. A：我很喜欢吃甜的东西，我每天都要吃一个冰激凌，一个蛋糕，还有很多巧克力。
   B：别吃了，______________________________。
2. A：你喝酒了吗？______________________________？
   B：我没有喝酒，但是，现在想开快车。
3. A：你喜欢汉语和中国文化吗？
   B：是的，______________________________。
4. A：你为什么那么难过？
   B：我的考试成绩不好，______________________________。

六　用"一天比一天/一年比一年/一月比一月"回答问题（Answer the Questions with "一天比一天/一年比一年/一月比一月"）

1. 你们的关系怎么样了？

→ ______

2. 你的孩子长大了吧？长高了吗？

→ ______

3. 中国饭好吃吗？你吃得多吗？

→ ______

4. 你的身体好点儿了吗？

→ ______

七 用指定词语说话 (Talk about the Following Topic, Using the Given Expressions)

两个人一组，谈谈中国菜

连……也……　越……越……　一天比一天

八 自由表达 (Express in Your Own Words)

1. 两人一组，一人是妈妈，一人是儿子，表演这个故事。
2. 假设你是一个电视台的主持人，请教育家、家长、老师谈谈与孩子沟通的问题。

九 阅读理解 (Reading Comprehension)

第一次打工

大学一年级的寒假，我没有去旅行，做了一个月的家教。那是我第一次打工。

我的学生家里很有钱，他也挺聪明，但是他看起来很不开心，学习成绩也不太好。后来，我才发现，他的功课多得不得了：物理、化学、法语、电脑……课余时间被安排得满满的。他只好整天整天地呆在房间里学习，渐渐地，他失去了对学习的兴趣。

刚开始的时候，他一点儿也不认真听讲，不预习也不复习。有一次，他又没有做作业，我决定批评他。可是，我刚批评了他一句，他就故意大声地哭起来。他妈妈进来了，十分不满地说："下次最好不要再发生这样的事儿了。"

我非常生气，但是，我不愿意放弃。我下决心一定让这个孩子重新喜欢上学习，不管遇到多大的困难，我都要坚持下去。后来，我想了各种办法和他沟通，了解他的想法，慢慢地，他开始相信我了，我们的关系变得好起来。等寒假结束的时候，我们俩成了好朋友。

这个寒假的打工生活，让我明白了两个道理：一是钱不一定能让我们幸福；二是只要努力就一定能成功。

你们同意吗？

回答问题

1. 孩子为什么不开心？
2. "我"批评孩子太厉害了。所以他哭了，是吗？
3. 通过这个故事，"我"明白了什么道理？

Additional Vocabulary 补充词语

1. 打工		dǎ gōng	work (usu. temporarily)
2. 家教	（名）	jiājiào	family teacher
3. 课余	（名）	kèyú	after school
4. 听讲	（动）	tīngjiǎng	listen to a talk
5. 故意	（形）	gùyì	intentionally
6. 放弃	（动）	fàngqì	give up
7. 不管	（连）	bùguǎn	no matter
8. 沟通	（动）	gōutōng	communicate

第五十三课 笑话

Dì-wǔshísān Kè Xiàohua

听录音,回答问题

大家为什么笑?

我姓范……

上大学的时候,班上的同学都是从不同的地方考来的,连姓都没有一样的。记得刚开学的时候,班主任叫同学们一起聚餐,既作为新学期第一次班会,也算是大家的第一次沟通。

吃饭前,班主任说:"同学们刚来报到,互相还不熟悉,我们先做个自我介绍吧。"于是,从班主任开始,大家一个一个地介绍自己的姓名,从什么地方来等等。紧挨着班主任的同学姓汤,他开玩笑说:"就是肉丝汤的汤。"接着,旁边的同学介绍自己姓蔡,大家一边笑一边说:"不是蔬菜的菜吧?如果是,我们这顿饭就不用点菜了。"正说着,一个同学不好意思地站了起来,小声说:"我姓范……"大家终于忍不住了,哈哈大笑起来。

听录音,回答问题

1. 她为什么有一个外号"馋老婆"?
2. 丈夫打了"馋老婆"以后,她把毛病改了吗?

改变不了

从前,有一个女人,别人送她一个外号"馋老婆"。因为她太爱吃,不管说什么,都得说吃的东西。

有一天,丈夫准备去参加一个宴会,让她看看天气怎么样。她开门看了看,进了屋子就说:"哎呀,天正下雪,大得很呢!雪白得就像牛奶一样。"

"雪下得有多厚？"

"有烙饼那么厚。"

丈夫一看馋老婆的老毛病又犯了，就打了她一巴掌，说："你以后少说吃的东西！再说的话，我非打你不可。"馋老婆摸着脸说："我记住了，再也不敢了。你好狠心啊，把我的脸打得像馒头似的。"

女儿一看妈妈挨了打，就哭了。馋老婆抱着孩子，一边给孩子擦眼睛一边说："好孩子，别哭了。你哭的声音，就像吃面包。"

Wǒ Xìng Fàn...

Shàng dàxué de shíhou， bānshang de tóngxué dōu shì cóng bùtóng de dìfang kǎolái de， lián xìng dōu méiyǒu yíyàng de. Jìde gāng kāi xué de shíhou， bānzhǔrèn jiào tóngxuémen yìqǐ jù cān， jì zuòwéi xīn xuéqī dì-yī cì bānhuì， yě suàn shì dàjiā de dì-yī cì gōutōng.

Chī fàn qián， bānzhǔrèn shuō："Tóngxuémen gāng lái bàodào， hùxiāng hái bù shúxī， wǒmen xiān zuò ge zìwǒ jièshào ba." Yúshì， cóng bānzhǔrèn kāishǐ， dàjiā yí ge yí ge de jièshào zìjǐ de xìngmíng， cóng shénme dìfang lái děngděng. Jǐn āizhe bānzhǔrèn de tóngxué xìng Tāng， tā kāi wánxiào shuō："Jiùshì ròusītāng de tāng." Jiēzhe， pángbiān de tóngxué jièshào zìjǐ xìng Cài， dàjiā yìbiān xiào yìbiān shuō："Bú shì shūcài de cài ba？ Rúguǒ shì， wǒmen zhè dùn fàn jiù bú yòng diǎn cài le." Zhèng shuōzhe， yí ge tóngxué bùhǎoyìsi de zhànle qilai， xiǎoshēng shuō："Wǒ xìng Fàn..." Dàjiā zhōngyú rěn bu zhù le， hāhā dàxiào qilai.

Gǎibiàn Bù liǎo

Cóngqián， yǒu yí ge nǚrén， biéren sòng tā yí ge wàihào "chán lǎopo". Yīnwèi tā tài ài chī， bùguǎn shuō shénme， dōu děi shuō chī de dōngxi.

Yǒu yì tiān， zhàngfu zhǔnbèi qù cānjiā yí ge yànhuì， ràng tā kànkan tiānqì zěnmeyàng. Tā kāi mén kànle kàn， jìnle wūzi jiù shuō："Āiya， tiān zhèng xià xuě， dà de hěn ne！ Xuě bái de jiù xiàng niúnǎi yíyàng."

"Xuě xià de yǒu duō hòu？"

"Yǒu làobǐng nàme hòu."

Zhàngfu yí kàn chán lǎopo de lǎo máobìng yòu fàn le， jiù dǎle tā yì bāzhang， shuō:"Nǐ yǐhòu shǎo shuō chī de dōngxi! Zài shuō dehuà, wǒ fēi dǎ nǐ bùkě." Chán lǎopo mōzhe liǎn shuō:"Wǒ jìzhù le, zài yě bù gǎn le. Nǐ hǎo hěnxīn a, bǎ wǒ de liǎn dǎ de xiàng mántou shìde."

Nǚ'ér yí kàn māma áile dǎ, jiù kū le. Chán lǎopo bàozhe háizi, yìbiān gěi háizi cā yǎnjing yībiān shuō:"Hǎo háizi, bié kū le. Nǐ kū de shēngyīn, jiù xiàng chī miànbāo."

根据课文填空 (Fill in the Blanks According to the Text)

1. (　　)着班主任的同学姓汤,他开玩笑说:"就是肉丝汤的汤。"(　　),旁边的同学介绍自己姓蔡,大家(　　)笑(　　)说:"不是蔬菜的菜吧?(　　)是,我们这顿饭就不用点菜了。"(　　)说着,一个同学不好意思地站了起来,小声说:"我姓范……"大家(　　)忍不住了,哈哈大笑起来。
2. 有一个女人,别人送她一个外号"馋老婆"。(　　)她太爱吃,(　　)说什么,都得说吃的东西,
3. 你(　　)说的话,我非打你(　　)。
4. 女儿(　　)看妈妈挨了打,(　　)哭了。

New Words and Expressions

生词语

1. 开学		kāi xué	start school
2. 主任	(名)	zhǔrèn	head
3. 叫	(介)	jiào	ask; let
4. 聚餐		jù cān	have a dinner party
5. 既	(连)	jì	not only... (but also)
6. 沟通	(动)	gōutōng	communicate
7. 报到	(动)	bàodào	register; check in
8. 熟悉	(形)	shúxī	familiar
9. 于是	(连)	yúshì	thereupon; hence
10. 紧	(形)	jǐn	tight; close
11. 挨着	(动)	āizhe	be next to
12. 接着	(连)	jiēzhe	follow (a speech or action)
13. 顿	(量)	dùn	*a measure word for meals, etc.*
14. 小声	(副)	xiǎoshēng	unloudly

15. 哈哈		hāhā	ha ha (laugh heartily)
16. 从前	（名）	cóngqián	once upon a time
17. 外号	（名）	wàihào	nickname
18. 馋	（形）	chán	ravenous
19. 老婆	（名）	lǎopo	wife
20. 不管…都	（连）	bùguǎn...dōu	no matter
21. 宴会	（名）	yànhuì	banquet; feast
22. 屋子	（名）	wūzi	room
23. 牛奶	（名）	niúnǎi	milk
24. 烙饼	（名）	làobǐng	baked wheat pancake
25. 犯	（动）	fàn	have recurrence of (wrong or bad things)
26. 非…不可	（副）	fēi... bùkě	must
27. 摸	（动）	mō	touch
28. 脸	（名）	liǎn	face
29. 敢	（助）	gǎn	dare
30. 狠心	（形）	hěnxīn	cruel; heartless
31. 馒头	（名）	mántou	steamed bread
32. 似的	（助）	shìde	as if; seem
33. 女儿	（名）	nǚér	daughter
34. 挨打	（动）	áidǎ	take a beating
35. 哭	（动）	kū	cry
36. 抱	（动）	bào	hug; embrace
37. 擦	（动）	cā	wipe; clean
38. 声音	（名）	shēngyīn	sound; voice
39. 面包	（名）	miànbāo	bread

Proper Nouns

专有名词

1. 汤 Tāng *a surname of Chinese people*
2. 蔡 Cài *a surname of Chinese people*
3. 范 Fàn *a surname of Chinese people*

语言点 (Grammar Points)

一 "既……也……" (Not only... but also...)

例：1. 她既不聪明，也不漂亮，可是为什么有那么多人喜欢她？

2. 我们既不知道该干什么，也不知道该去哪里，你告诉我们吧。

3. 他既会英语，也会日语？

二 "不管……都……" (No matter how...)

例：1. 不管你愿意不愿意，你都得去。

2. 他每天坚持跑步，不管刮风还是下雨，都要跑。

3. 不管你说什么，我们都不想听。

4. 不管多难，他都要坚持下去。

三 "adj.得很"

表示程度高。(This expression indicates a high degree.)

例：1. 那个孩子聪明得很，每门功课都很好。

2. 这里的冬天冷得很，你得多穿衣服。

四 "再V的话，……" (If (subject) still..., then...)

例：1. 你再这样玩儿下去的话，一定考不上大学。

2. 你再不起床的话，上课就要迟到了。

3. 我们再不走的话，就来不及了。

五 “非……不可”(Must; Have to)

例：1. 孩子特别喜欢那个玩具(wánjù/toy)，非要不可，她妈妈只好给她买了一个。

2. 要学好汉语，非努力不可。

3. 我非去不可，你别劝(quàn/advise)我。

六 “再也不/没 V”

加强否定语气。(This pattern is used to emphasize the negation.)

例：1. 毕业后，我们再也没见过面。

2. 你走吧，我再也不想见到你了。

3. 那家饭店的菜又贵又不好吃，以后我再也不去那儿吃了。

练习 Exercises

一 写出一些同音词或字 (Write some Words or Characters Same in Pronunciation)

例：范 — 饭

______ ______ ______ ______ ______ ______

二 请说出一些食物的名称 (Write the Names of Food You Know)

______ ______ ______ ______ ______ ______

三 完成下面的比喻表达 (Fill in the Blanks with Metaphorical Expressions)

1. 那个孩子很好看,脸像(　　)似的,又红又圆。
2. 我的脚肿得像(　　)似的。
3. 他跑得很快,像(　　)似的。
4. 那个姑娘很漂亮,像(　　)似的。
5. 我昨天晚上熬夜了,半夜三点才睡,今天早上起来,眼睛像(　　)似的。
6. 她的眼睛又黑又亮,像(　　)似的。

四 选词填空 (Fill in the Blanks with the Following Words)

于是　所以

1. 圣诞节快到了,(　　)商店里客人非常多。
2. 他昨天喝醉了,(　　)今天头有点儿疼。
3. 听说那家餐厅很不错,(　　),我决定去试试。
4. 因为快考试了,(　　)大家都在努力学习。
5. 他工作很忙,(　　)没有时间和儿子玩儿。

沟通　熟悉　报到　站　叫

1. 你要多和他(　　),这样才能了解他。
2. 你是什么时候来(　　)的?
3. 刚开始的时候,有点儿陌生,现在已经很(　　)了。
4. 别(　　)醒他了,让他多睡一会儿吧。
5. 你这是(　　)着说话不腰疼!

犯　改变　抱　擦　馋

1. 他(　　)着很多书从图书馆出来。
2. 他的老毛病又(　　)了,整天咳嗽。
3. 冬天的时候,一进到屋子里就得(　　)眼镜,真麻烦。
4. 人的性格是很难(　　)的。
5. 中国以前有一个说法,如果一个女人太(　　),就没有人愿意和她结婚。

五 短文填空 (Cloze)

性格　特点　外号　爱好　样子

给别人起(　　),有很多方法。一个方法是看他的(　　),比如说,他很喜欢看书,我们就可以叫他“书虫”。另一个方法是看她的(　　),比如说一个女人很容易发脾气(fāpíqì/lose one's temper),我们就可以叫她“母老虎(lǎohǔ/tiger)”。第三个方法是看他的(　　),比如说,一个人很胖,我们就可以叫他“胖子”。还有一个方法是看他的(　　),比如说,一个人很会开玩笑,他总是能让别人开心,我们就可以叫他“开心果”。你给别人起过外号吗?

六 完成句子 (Complete the Sentences with the Given Expressions)

1. 你如果一直这样的话,________________。(V不了)
2. 一个家庭只有一个孩子,________________。(adj.得很)
3. 你昨天没复习吗?________________?(连……也……)
4. ________________(再V的话),你一定会生病的。
5. 你放心,________________。(再也不)
6. 没有钥匙我进不了家,________________。(非……不可)

七 用“不管……都……”回答问题 (Answer the Questions with “不管……都……”)

1. 你今天谁也不想见吗?

→________________

2. 今天你想吃什么?

→________________

3. 你有写日记的习惯吗?

→________________

4. 我们去哪儿玩儿比较好?

→________________

5. 小时候,你爸爸每天都给你讲故事吗?

→________________

6. 今天我很累,可以不去上课吗?

→______________________________

八 用指定词语说话 (Talk about the Following Topic, Using the Given Expressions)

两人一组,谈谈减肥。

再V的话　连……也……　再也不/没　V不了
少V　非……不可　adj.得很　不管……都……

九 自由表达 (Express in Your Own Words)

1. 三人一组,表演一下这个笑话。(丈夫　妻子　儿子)
2. 讲笑话比赛:如果你的同学没笑,你得再讲一个。

十 阅读理解 (Reading Comprehension)

我把什么东西丢了?

琼斯太太:"我把什么东西忘了, 可是我想不起来是什么东西。请帮我找找好吗? 服务员。"

服务员:"您是把护照忘了吧? 琼斯太太。"

琼斯太太:"护照? 嗯,在这儿呢。船票也在这儿……我把什么掉了呢?"

服务员:"您的行李都在吗?"

琼斯太太:"让我看看,一、二、三、四、五,五件,全都在这儿。"

服务员:"我看,您没有忘掉什么东西。"

琼斯太太:"不,我真的丢了点儿什么,不过实在想不起来了。"

服务员:"您别太着急,反正重要的东西都在。好了,请上船吧,很快就要开船了。哎,琼斯先生到哪儿去了?"

琼斯太太:"琼斯先生? 噢,我想起来了,我就是把他丢了。"

Additional Vocabulary 补充词语

1. 琼斯		Qióngsī	Jones
2. 太太	（名）	tàitài	Madam
3. 护照	（名）	hùzhào	passport
4. 船	（名）	chuán	ship
5. 实在	（副）	shízài	really
6. 反正	（副）	fǎnzhèng	anyway

第五十四课　人　生

Dì-wǔshísì　Kè　Rénshēng

听录音,回答问题

哲学家为什么没娶到自己喜欢的姑娘?

从前，有一位很有名的哲学家，迷倒了不少女孩子。

有一天，一个姑娘来敲他的门说:“让我做你的妻子吧!错过我,你就找不到比我更爱你的女人了！”

哲学家虽然很喜欢她,但仍然回答说:“让我考虑考虑。”

然后,哲学家用他研究哲学问题的精神,把结婚和不结婚的好处与坏处分别列出来。他发现,这个问题有些复杂,好处和坏处差不多一样多,真不知道该怎么决定。

最后,他终于得出一个结论:人如果在选择面前无法做决定的时候,应该选择没有经历过的那一个。

哲学家去找那个姑娘,对她的父亲说:“您的女儿呢?我考虑清楚了,我决定娶她！”

但是,他被姑娘的父亲挡在门外。他得到的回答是:“你来晚了十年,我女儿现在已经是三个孩子的妈妈了！”

哲学家几乎不能相信自己的耳朵,他非常难过。

两年后,他得了重病。临死前,他把自己所有的书都扔进火里,只留下一句话:“如果把人生分成两半,前半段的人生哲学是‘不犹豫’,后半段的人生哲学是‘不后悔’。”

(据《文萃》2003/22)

Cóngqián, yǒu yí wèi hěn yǒumíng de zhéxuéjiā, mídǎole bùshǎo nǚháizi.

Yǒu yì tiān, yí ge gūniang lái qiāo tā de mén shuō:“Ràng wǒ zuò nǐ de qīzi ba! Cuòguò wǒ, nǐ jiù zhǎo bú dào bǐ wǒ gèng ài nǐ de nǚrén le!”

Zhéxuéjiā suīrán hěn xǐhuan tā, dàn réngrán huídá shuō:“Ràng wǒ kǎolǜ kǎolǜ.”

Ránhòu, zhéxuéjiā yòng tā yánjiū zhéxué wèntí de jīngshen, bǎ jié hūn hé bù jié hūn de hǎochù yǔ huàichù fēnbié liè chulai. Tā fāxiàn, zhège wèntí yǒuxiē fùzá, hǎochù hé huàichù chàbuduō yíyàng duō, zhēn bù zhīdào gāi zěnme juédìng.

Zuìhòu, tā zhōngyú déchū yí ge jiélùn: rén rúguǒ zài xuǎnzé miànqián wúfǎ zuò juédìng de shíhou, yīnggāi xuǎnzé méiyǒu jīnglìguo de nà yí ge.

Zhéxuéjiā qù zhǎo nàge gūniang, duì tā de fùqin shuō:“Nín de nǚ’ér ne? Wǒ kǎolǜ qīngchu le, wǒ juédìng qǔ tā!”

Dànshì, tā bèi gūniang de fùqin dǎngzài ménwài. Tā dédào de huídá shì:“Nǐ láiwǎnle shí nián, wǒ nǚ’ér xiànzài yǐjing shì sān ge háizi de māma le!”

Zhéxuéjiā jīhū bù néng xiāngxìn zìjǐ de ěrduo, tā fēicháng nánguò.

Liǎng nián hòu, tā déle zhòngbìng. Lín sǐ qián, tā bǎ zìjǐ suǒyǒu de shū dōu rēngjìn huǒli, zhǐ liúxià yí jù huà:“Rúguǒ bǎ rénshēng fēnchéng liǎng bàn, qián bàn duàn de rénshēng zhéxué shì ‘bù yóuyù’, hòu bàn duàn de rénshēng zhéxué shì ‘bú hòuhuǐ’.”

根据课文填空 (Fill in the Blanks According to the Text)

1. 从前，有一位很有名的哲学家，迷(　　)了不少女孩子。
2. 错(　)我，你就找不(　　)比我更爱你的女人了。
3. 把结婚和不结婚的好处与坏处分别列(　　)。
4. 最后，他终于得(　　)一个结论。
5. 他把自己所有的书都扔(　　)火里。
6. 如果把人生分(　　)两半，前半段的人生哲学是“不犹豫”，后半段的人生哲学是“不后悔”。

New Words and Expressions 生词语

1. 哲学家	(名)	zhéxuéjiā	philosopher
2. 迷	(动)	mí	enchant
3. 姑娘	(名)	gūniang	girl; lady
4. 敲	(动)	qiāo	knock at
5. 错过	(动)	cuòguò	miss

6. 仍然	（副）	réngrán	still
7. 研究	（动）	yánjiū	study; research
8. 哲学	（名）	zhéxué	philosophy
9. 精神	（名）	jīngshen	spirit
10. 坏处	（名）	huàichù	harm; disadvantage
11. 分别	（副）	fēnbié	respectively; seperately
12. 列	（动）	liè	list
13. 复杂	（形）	fùzá	complicated
14. 结论	（名）	jiélùn	conclusion
15. 选择	（名）	xuǎnzé	choice; choose
16. 面前	（名）	miànqián	in (the) face of; before
17. 经历	（动）	jīnglì	experience
18. 娶	（动）	qǔ	marry (a woman)
19. 被	（介）	bèi	by; *used in a passive sentence indicating that the subject is the receiver of the action*
20. 挡	（动）	dǎng	ward off
21. 几乎	（副）	jīhū	almost
22. 相信	（动）	xiāngxìn	believe
23. 重病	（名）	zhòngbìng	be seriously ill
24. 临	（动）	lín	happen just before; be on the point of (doing sth.)
25. 所有	（代）	suǒyǒu	all
26. 分	（动）	fēn	divide; seperate
27. 段	（量）	duàn	segment; section, part
28. 犹豫	（形）	yóuyù	be hesitated

语言点 (Grammar Points)

一 “临” (Happen just before)

例：1. 临走前，别忘了关门。

2. 临睡觉以前，别喝咖啡。

3. 临上飞机时，他给我打了个电话。

4. 临回国的时候，他买了很多礼物。

二 “被”字句 (“被” Sentence)

用于被动句，“被”引出动作的施事。(“被” is used to introduce the agent of the action.)

“Object+被+(Agent)+Verbal Phrase”

例：1. 那个苹果被弟弟吃了。——这个苹果没被弟弟吃掉。

2. 我的自行车被(人)偷走了。——他的自行车没被偷走。

3. 他被打了。——他没被打。

注意：以下几类动词不能用在“被”字句里。(The following verbs usually can't be used in passive voice.)

心理活动动词(Mental Verb)：希望、同意、愿意、关心、喜欢、生气、害怕、认为等。

身体状态动词(Posture Verb)：躺、坐、站等。

认知感觉动词(Cognitive Verb)：明白、懂得、感到、感觉、觉得。

三 “V出来”

表示从隐蔽到显现。(It indicates the appearing of an action process.)

例：1. 把坏处和好处都列出来。

2. 他从包里拿出来一本书。

3. 你能想出一个好办法来吗？

练 习 Exercises

一 选词填空 (Fill in the Blanks with the Following Words)

所有　都　一切　任何

1. 那些地方,我(　　)去过了。
2. 谁(　　)不知道他去了哪里。
3. 我喜欢这里的(　　)。
4. (　　)都过去了,别想了。
5. (　　)的东西都在这儿,你看吧。
6. 遇到(　　)困难,你(　　)要坚持下去。
7. (　　)事情(　　)可能改变。

挡　迷　娶　敲　分

1. 最近我的同屋(　　)上京剧,一有时间就去看。
2. 进别人的房间以前,应该先(　　)门。
3. 你把这些东西(　　)开吧,我们一人一半。
4. 请你到那边去,好吗? 你(　　)着我了,我看不见。
5. 你想(　　)一个什么样的姑娘?

精神　结论　经历　哲学　相信

1. 请(　　)我,我真的没有骗(piàn/cheat)你。
2. 奥林匹克(àolínpǐkè/Olympic)的(　　)是什么?
3. 不要这么早就得出(　　),等等再说。
4. 来中国后,我(　　)了很多事,有开心的,也有不开心的。
5. 哪个国家的(　　)家最多?

二 短文填空 (Cloze)

犹豫　选择　错过　决定　清楚　列　后悔

在人的一生中,需要做很多(　　)。有的时候,很难做出(　　)。如果在选择面前(　　)不定,可能就会(　　)一个很好的机会。但是,如果不考虑(　　)就马上做决定,以后也可能会(　　)。所以,最好先好好想一想,把好处和坏处都(　　)出来,然后再做决定。

三 把以下句子改成"被"字句 (Rewrite the Sentences with"被")

1. 我吃了他的面包。

   → ______________________________

2. 朋友借走了我的自行车。

   → ______________________________

3. 我花完了所有的钱。

   → ______________________________

4. 我把书放在桌子上。

   → ______________________________

5. 我把衣服洗得干干净净的。

   → ______________________________

四 看图说话（用"被"字句）(Describe the Pictures, Using "被")

1. ____________________

2. ____________________

3. ____________________

4. ____________________

五 选词填空 (Fill in the Blanks with the Following Words)

倒　过　到　清楚　晚　进　成

1. 别再喝了，醉(　　)了我可不照顾你。

2. 怎么样？你想(　　)了没有？
3. 你来(　　)了，车已经开走了。
4. 走(　　)这条街，你就能看见了。
5. 他的名字一定会被写(　　)历史的。
6. 几年不见，小女孩变(　　)了一个漂亮的姑娘。
7. 你买(　　)想买的书了吗？

六　用"被"字句和结果补语描述图中的故事 (Tell the Story, Using "被" Sentence and Result Complements)

1. ____________

2. ____________

3. ____________

4. ____________

七　自由表达 (Express in Your Own Words)

1. 男同学一组，女同学一组，分别列出结婚的好处与坏处。
2. 四人一组(姑娘、父亲、哲学家和记者)表演：哲学家马上要死去了，一位记者来采访他，他给记者讲他的故事。
3. 你有没有面临选择？是否有很难做决定的经历？后来，你怎么决定的？

八 阅读理解（Reading Comprehension）

万　幸

有人告诉李涛，大学里最漂亮的女生于娜爱上了他。于娜是三年级学生，长得非常漂亮，很多男生都在追求她。李涛听到这个消息后，站在镜子前面很长时间。从镜子里看，他眼睛小小的，两只大耳朵，一个塌鼻子，还有满脸的“青春美丽豆”。

“这么难看的脸，她能看上我吗？”李涛叹了一口气，越来越嫌自己长得丑。

“也许，她喜欢我的能力？不可能。”他认为还是他自己最了解自己。

李涛一会儿怀疑这个，一会儿怀疑那个。最后，他想：是不是她只需要有间大房子？现在的姑娘，对她们一定得特别小心。等结完婚，她抢走一半房子就跟我离婚，再跟另一个漂亮的小伙子一起住。不对，这事儿一定不对。

他没敢去冒这个险。

十二年后的一天，他在街上遇到了于娜。于娜还像以前一样好看，她正在读博士，学会了开车，每年夏天都开车带全家人出去旅行。

于娜对他说：“你知道吗？以前我爱过你，我现在仍然爱你……”

“老天爷啊，真是万幸，我没跟她结婚。”李涛想，“我当时的感觉没有错。这算什么呢？和丈夫在一起生活了这么多年，竟然还爱另外一个男人。太可怕了。”

（据《文萃》2003/23 王汶编译）

Additional Vocabulary 补充词语

1. 万幸	（形）	wànxìng	by sheer luck
2. 李涛		Lǐ Tāo	Li Tao
3. 于娜		Yú Nà	Yu Na
4. 追求	（动）	zhuīqiú	be after (sb.)
5. 消息	（名）	xiāoxi	news; message

6. 塌	(形)	tā	sink
7. 豆	(名)	dòu	bean
8. 叹气		tàn qì	sigh
9. 怀疑	(动)	huáiyí	doubt
10. 抢	(动)	qiǎng	grab
11. 冒险		mào xiǎn	risk
12. 竟然	(副)	jìngrán	unexpectedly

第五十五课　点心小姐

Dì-wǔshíwǔ Kè　Diǎnxin Xiǎojiě

听录音，回答问题

1. “我”为什么有一个外号叫“点心小姐”？
2. “点心小姐”有特别的意思吗？

我上大学的时候，在一家商店里打工，负责卖点心和咖啡。在那家商店附近，有一个公共汽车站，所以商店的生意很好。每天我都早早地收拾好桌子，摆好椅子，耐心地等着客人来。

每天下午四点钟左右，总有一大群中小学生来这儿喝咖啡。

过了一段时间以后，我渐渐地和他们熟起来，他们也喜欢和我聊天儿。年纪大一些的女孩子，总是悄悄地给我讲她们的男朋友；较小一点儿的，也会告诉我校园里的一些事情。他们一边吃一边聊，一直等到公共汽车开来了，才高高兴兴地离开。

我和他们相处得很好，就像是很亲密的朋友。有人丢了车票，我就会替他买一张。当然，第二天他就会把钱还给我。汽车来晚了，他们还会用店里的电话告诉父母一切都好，让他们放心。

一个星期六的下午，店里来了一位看起来很严肃的先生。我问他：“有什么事？”他淡淡一笑，说：“我是来向你表示感谢的。我知道我的孩子和点心小姐在一起时，我就知道他们是安全的。你很了不起，谢谢你。”

于是我有了一个外号，就是“点心小姐”。

又有一天，我在店里接到一个电话，是一位夫人打来的，声音听起来有些着急：“我在找我的双胞胎女儿，她们还没有回家。她们是不是在你的店里？”

“对，她们是在我这儿，我能替您捎个话儿吗？”

"好，好，那就太感谢你了。"

几年以后，我离开了这家商店。后来，我有了自己的孩子。我发现他们也常常得到别人的帮助。有一天深夜，一位公共汽车司机一直陪着我的女儿，直到我开车去接她。

于是，我知道，她也遇到了一位真正的"点心小姐"。

（据《读者》2001年7期邓笑编译）

Wǒ shàng dàxué de shíhou， zài yì jiā shāngdiàn li dǎ gōng， fùzé mài diǎnxin hé kāfēi. Zài nà jiā shāngdiàn fùjìn，yǒu yí ge gōnggòngqìchē zhàn，suǒyǐ shāngdiàn de shēngyì hěn hǎo. Měi tiān wǒ dōu zǎozǎo de shōushi hǎo zhuōzi，bǎihǎo yǐzi，nàixīn de děngzhe kèrén lái.

Měi tiān xiàwǔ sì diǎn zhōng zuǒyòu，zǒng yǒu yí dà qún zhōng-xiǎo xuésheng lái zhèr hē kāfēi.

Guòle yí duàn shíjiān yǐhòu，wǒ jiànjiàn de hé tāmen shú qilai，tāmen yě xǐhuan hé wǒ liáo tiānr. Niánjì dà yìxiē de nǚháizi，zǒngshì qiāoqiāo de gěi wǒ jiǎng tāmen de nánpéngyou；jiào xiǎo yìdiǎnr de，yě huì gàosu wǒ xiàoyuán li de yìxiē shìqing.Tāmen yìbiān chī yìbiān liáo，yìzhí děngdào gōnggòngqìchē kāilái le，cái gāogāo-xìngxìng de líkāi.

Wǒ hé tāmen xiāngchǔ de hěn hǎo，jiù xiàng shì hěn qīnmì de péngyou. Yǒu rén diūle chēpiào，wǒ jiù huì tì tā mǎi yì zhāng. Dāngrán，dì-èr tiān tā jiù huì bǎ qián huán gěi wǒ. Qìchē láiwǎn le，tāmen hái huì yòng diànli de diànhuà gàosu fùmǔ yíqiè dōu hǎo，ràng tāmen fàng xīn.

Yí ge xīngqīliù de xiàwǔ，diànli láile yí wèi kàn qilai hěn yánsù de xiānsheng. Wǒ wèn tā："Yǒu shénme shì？" Tā dàndàn yí xiào，shuō："Wǒ shì lái xiàng nǐ biǎoshì gǎnxiè de. Wǒ zhīdào wǒ de háizi hé diǎnxin xiǎojiě zài yìqǐ shí，wǒ jiù zhīdào tāmen shì ānquán de. Nǐ hěn liǎobuqǐ，xièxiè nǐ."

Yúshì wǒ yǒule yí ge wàihào，jiùshì "diǎnxin xiǎojiě".

Yòu yǒu yì tiān， wǒ zài diànli jiēdào yí ge diànhuà， shì yí wèi fūrén dǎlái de，shēngyīn tīng qilai yǒuxiē zháojí："Wǒ zài zhǎo wǒ de shuāngbāotāi nǚ'ér， tāmen hái méiyǒu huí jiā. Tāmen shì bú shì zài nǐ de diànli？"

"Duì，tāmen shì zài wǒ zhèr，wǒ néng tì nín shāo ge huàr ma？"

"Hǎo，hǎo，nà jiù tài gǎnxiè nǐ le."

Jǐ nián yǐhòu， wǒ líkāile zhè jiā shāngdiàn. Hòulái， wǒ yǒule zìjǐ de háizi. Wǒ fāxiàn tāmen yě chángcháng dédào biéren de bāngzhù. Yǒu yì tiān shēnyè， yí wèi gōnggòng qìchē sījī yìzhí péizhe wǒ de nǚ'ér，zhídào wǒ kāi chē qù jiē tā.

Yúshì, wǒ zhīdào, tā yě yùdàole yí wèi zhēnzhèng de "diǎnxin xiǎojiě".

根据课文填空 (Fill in the Blanks According to the Text)

1. 我在一(　　)商店卖点心和咖啡。
2. 每天我都早早地(　　)好桌子,(　　)好椅子,耐心地(　　)着客人来。
3. 下午四点钟左右,总有一大(　　)中小学生来这儿喝咖啡。
4. 过了一(　　)时间以后,我渐渐地和他们熟(　　)。
5. 有人丢了车票,我就会替他买一(　　)。

New Words and Expressions 生词语

1. 点心	(名)	diǎnxin	light refreshments
2. 打工		dǎ gōng	do manual work (usu. temporarily)
3. 负责	(动)	fùzé	be in charge of
4. 卖	(动)	mài	sell
5. 生意	(名)	shēngyì	business; trade
6. 椅子	(名)	yǐzi	chair
7. 耐心	(形)	nàixīn	patient
8. 群	(量)	qún	*a measure word*, group
9. 渐渐	(副)	jiànjiàn	gradually
10. 悄悄	(副)	qiāoqiāo	quietly; silently
11. 校园	(名)	xiàoyuán	campus
12. 相处	(动)	xiāngchǔ	get along
13. 亲密	(形)	qīnmì	intimate; close
14. 替	(介)	tì	for; on behalf of
15. 还	(动)	huán	return
16. 严肃	(形)	yánsù	strict; earnest
17. 表示	(动)	biǎoshì	express; show
18. 安全	(形)	ānquán	safe
19. 了不起		liǎobuqǐ	remarkable; terrific
20. 接到		jiēdào	receive

21. 夫人	（名）	fūrén	madam
22. 双胞胎	（名）	shuāngbāotāi	twin
23. 捎	（动）	shāo	bring to sb.
24. 话儿	（名）	huàr	message
25. 深夜	（名）	shēnyè	late night
26. 司机	（名）	sījī	driver
27. 陪	（动）	péi	accompany
28. 真正	（形）	zhēnzhèng	real; true; genuine

注释 Note

"是"：表示确认强调。(It can be used for confirmation.)

例：1. 对，对，她们是在我这儿。

2. 中国的人口是挺多的，你说得没错儿。

3. 孩子的功课是太多了，应该给他们一点儿玩儿的时间。

单元语言点小结（Summary of Grammar Points）

语言点	课数	例句
1. "一方面，另一方面"	51	我来中国，一方面是因为我喜欢汉语，另一方面是因为我想交中国朋友。
2. "一 MW(N)+一 MW(N)+V"	51	饭要一口一口地吃，事要一件一件地做。
3. "只有……才……"	51	只有你爱别人，别人才会爱你。
4. "一天比一天"	52	人们的生活一天比一天好了。
5. "越……越……"	52	雨越下越大，怎么办？

6. "连……也/都……"	52	这个字太难了,连老师也不认识。
7. "V上"	52	你怎么把电话挂上了?
8. "既……也……"	53	她既不聪明,也不漂亮。
9. "不管……都……"	53	不管你愿意不愿意,你都得去。
10. "adj. 得很"	53	那个孩子聪明得很。
11. "再V的话"	53	你再不起床的话,上课就要迟到了。
12. "非……不可"	53	要学好汉语,非努力不可。
13. "再也不/没V"	53	毕业后,我们再也没见过面。
14. "临"	54	临走前,别忘了关门。
15. "被"字句	54	那个苹果被弟弟吃了。
16. "V出来"	54	想出来一个好办法。

练习 Exercises

一 选词填空 (Fill in the Blanks with the Following Words)

替　陪　让

1. 别担心,我(　　)你一起去。
2. 你(　　)我跟老师请个假,好吗?
3. 妈妈(　　)孩子早点儿睡,可是孩子不愿意。

悄悄　淡淡　渐渐　来来往往　高高兴兴

1. 我(　　)地走进教室,谁也没看见我。
2. 这个汤的味道(　　)的,不错。
3. 大街上(　　)的人真多。
4. 刚来中国的时候,我很想家,后来认识了一些朋友,(　　)地,我习惯了在中国的生活。
5. 他每天都(　　)的,你知道为什么吗?

二 短文填空 (Cloze)

熟人　安全　来来往往　认识　陌生　所以　亲密
深夜

与农村或者小城比起来，生活在大城市里的人，(　　)感比较少。大街上(　　)的人，有时候没有一个是自己的(　　)。住同一座楼里的人，互相也都不(　　)。(　　)，大城市里的人很少去别人家里。他们可以在酒吧一直玩到(　　)，也可以和(　　)人一起聊天儿，但是，却很少有真正(　　)的朋友。

三 选择合适的关联词语填空 (Fill in the Blanks with the Given Words)

虽然……但是……　不但……而且……
因为……所以……　连……也……
既……也……　一边……一边……
如果……就……　不管……都……

1. (　　)我们毕业后从来没见过面，(　　)见面后很快就熟起来了。
2. (　　)我走到哪里，我(　　)把这张照片带在身边。
3. 他(　　)常常帮助朋友，(　　)也常常帮助陌生人，真是一个好人。
4. 他(　　)是我的爱人，(　　)是我的朋友。
5. 你(　　)听音乐(　　)做作业，你能做好吗？
6. (　　)你的性格不太好，(　　)没有人愿意和你交朋友，你得改一改了。
7. (　　)圣诞节快到了，(　　)商店里有很多人。
8. 他最近迷上了京剧，(　　)上厕所的时候(　　)要听京剧。

只有……才……　只要……就……

1. 他太喜欢吃饺子了，(　　)有时间(　　)自己包饺子吃。
2. 他不太喜欢包饺子，(　　)春节的时候(　　)自己包几个。

3. 看电影是他的爱好,(　　)有好电影他(　　)一定去看。
4. 要实现理想不是那么容易的,但(　　)你坚持努力,(　　)有可能实现。
5. A:世界上最大的东西是什么?
   B:眼皮(yǎnpí/eye lid)。
   A:为什么?
   B:(　　)眼睛闭(bì/close)上,全世界(　　)都被挡住了。

四 改写句子 (Rewrite the Following Sentences with the Given Expressions)

1. 快要考试的时候,他突然肚子疼,可能是太紧张了吧。
   → ______________________________ (临)
2. 你如果还不把菜端来,我就不在你们这儿吃饭了。
   → ______________________________ (再V的话)
3. 那个饭店生意很好,有两个原因:一是经济实惠,服务周到;二是他们做的菜味道非常好。
   → ______________________________ (一方面,另一方面)
4. 孩子长得很快,个子越来越高了。
   → ______________________________ (一天比一天)
5. 我一定要成为名画家。
   → ______________________________ (非……不可)
6. 旅行回来,姐姐非常开心。
   → ______________________________ (adj.得很)

五 判断正误并改错 (Make Corrections if Needed)

1. 面包被卖。
2. 票被买好了。
3. 书被放桌子上。
4. 苹果弟弟吃完了。
5. 我洗干净了衣服。
6. 我放书在桌子上。

六 自由表达 (Express in Your Own Words)

1. 四个人一组，表演在咖啡店的故事。(点心小姐　丢车票的孩子　给妈妈打电话的孩子　严厉的男人)
2. 在你们国家，人与人之间的信任/互相帮助怎么样？分国别准备。

七 写作 (Composition)

给父母或朋友写一封信

(要求：请尽可能使用本单元学过的词语和语法)

八 阅读理解：将以下段落排序后组成一篇短文 (Reading Comprehension: Arrange the Following Paragraphs to a Text)

让你久等了

1. 一个男孩和他的女朋友每次约会总是在一棵大树下见面。那个男孩因为工作的原因，每次总是迟到。每次迟到他的第一句话都是："对不起，让你久等了。"

2. 那男孩开始以为是真的，后来有一次他准时(zhǔnshí/on time)到了，但是他故意(gùyì/intentionally)在旁边等了一个小时才过去，没想到，那女孩还是笑着说出了同样的话。他这才知道，不管他迟到多久，她都会对他说同样的话。

3. 但是那个女孩总是笑着对他说："还好，我也没有到很久。"

4. 二十几年过去了，那个男人回来了。一下飞机他就去那棵大树下。但是第一眼看到的全是商店，还没完全走近，他就失望(shīwàng/lose hope)了，大树在哪里呢？

5. 后来，他要去很远的地方工作，临走前他与她约好，如果很多年后他才能回来，回来后如果找不到对方，就记得到这棵大树下等。

6. 他忽然看到不远处有人在卖烟，于是他想，买包烟抽抽吧。买烟的时候，他惊讶地发现，那个卖烟的妇人就是他以前的女朋友。

7. 没想到她还是对他笑着说："还好，我也没有到很久。"

8. 她一定是怕他回来找不到他，又不知道他什么时候回来，于是决定在这个地方卖烟等他。他不知道该说些什么才好，他只好轻轻对她说："对不起，让你久等了。"

词汇表

词语的排列以汉语拼音的字母为序。词语后面的数字为生词出现的课数。词语前有△号的为《汉语水平词汇与汉字等级大纲》中的甲级词，有○号的为乙级词，◇号的为丙级词，★号的为丁级词。

		A			
○挨着	53	āizhe	be next to	並ぶ	연이어
◇挨打	53	áidǎ	be hit (by someone)	ぶたれる	매맞다
△爱	49	ài	like; love	愛する	사랑
△爱人	50	àiren	husband or wife	夫、妻	배우자
△安静	45	ānjìng	quiet	静かな	조용하다
○安全	55	ānquán	safe	安全な	안전
○按	42	àn	according to	～により	누르다
		B			
巴掌	39	bāzhang	palm	手の平	손바닥
△把	41	bǎ	*used before nominal phrases to put them as the objects before verbal phrases*	(動詞の前に出した目的語の前に置く)	쥐다
白糖	41	báitáng	white sugar	白砂糖	백설탕
△百	40	bǎi	hundred	百	백
△摆	40	bǎi	lay; set	並べる	놓다
△搬	32	bān	move	運ぶ	옮기다
△办	36	bàn	handle; go through	処理する	처리하다
△办公室	36	bàngōngshì	office	事務室	사무실
△包	33	bāo	bag	包み、袋	가방
◇剥	46	bāo	peel	剥く	벗기다
△饱	35	bǎo	have eaten to one’s fill	満腹の	배부르다
保洁公司	42	bǎojié gōngsī	sanitation company	清掃会社	위생회사
△报	37	bào	newspaper	新聞	신문
○报到	53	bàodào	register	登録する	보고하다
△抱	53	bào	hug	抱く	포옹하다
○背	33	bēi	carry on the back	背負う	등
△被	54	bèi	by; *used in a passive sentence indicating that the subject is the receiver of the action*	(～により受身文に用い動作の主体を示す)	～에게

○本来	52	běnlái	originally	本来の	본래
△本子	33	běnzi	exercise book	ノート	연습장
△比	32	bǐ	compare; than	比べる、～より	비교하다
○比如说	34	bǐrú shuō	for example	例えば	예를들어
△笔	33	bǐ	writing instruments	筆、ペン	연필
△必须	46	bìxū	must	～する必要がある	반드시
△边	45	biān	side	ふち、辺	옆에
△变成	39	biànchéng	turn into	変わる	변하다
△变化	47	biànhuà	change	変化する	변화
△遍	51	biàn	all over	あまねく	널리 퍼져있다
△表示	55	biǎoshì	express	表示する	표시
△表扬	52	biǎoyáng	praise	表彰する	표창하다
△别人	49	biéren	other person	ほかの人	다른사람
○冰箱	37	bīngxiāng	refrigerator	冷蔵庫	냉장고
△不但	43	búdàn	not only	～のみならず	~뿐만 아니라
△不用	50	búyòng	needn’t	～する必要がない	필요없다
○不管…都	53	bùguǎn... dōu	no matter how	～であろうとなかろうと	간섭하지않다 ~을 악론하고
△不久	33	bùjiǔ	soon	程なく	곧
○部	36	bù	ministry	部門	부서
C					
△擦	53	cā	wipe	拭く	딱다
○猜	37	cāi	guess	推量する	추측하다
★菜单	43	càidān	menu	メニュー	주문판
菜系	34	càixì	cuisine	料理	음식의 계통
△参观	36	cānguān	visit	参観する	관람
○餐厅	35	cāntīng	dinning room	食堂	식당
◇灿烂	40	cànlàn	glorious	輝かしい	찬란하다
◇苍蝇	39	cāngying	fly	ハエ	파리
△操场	33	cāochǎng	playground	運動場	운동장
△草	40	cǎo	grass	草	풀
○草原	51	cǎoyuán	grassland	草原	초원
△层	39	céng	storey; floor	階	층
○曾经	47	céngjīng	once	かつて	일찍이
◇差别	46	chābié	difference	相違	다르다
△查	31	chá	check; look up	調べる、検査する	찾다
△差	48	chà	inferior	劣る	차이
★馋	53	chán	greedy	貪欲な	탐내다
○产生	44	chǎnshēng	come into being	生み出す	생산하다
△尝	41	cháng	taste	味をみる	맛보다
△场	48	chǎng	whole process of a game or performance	(量詞)試合や公演	장
△朝	40	cháo	towards	～の方に	~로 향하다
◇炒	41	chǎo	(stir-) fry	炒める	복다

○衬衫	33	chènshān	shirt	シャツ	남방
○成功	44	chénggōng	success	成功する	성공하다
△成绩	52	chéngjì	study grade	成績	성적
成绩单	52	chéngjìdān	grade report	成績表	성적표
○成为	52	chéngwéi	become	～になる	~으로 되다
△城	51	chéng	city	都市	도시
○程度	43	chéngdù	degree	程度	정도
△抽空儿	49	chōu kòngr	manage to find time	時間を割く	시간을 내다
○臭	49	chòu	stinky	臭い	역겹다
△出来	37	chūlái	out	出て来る	나오다
○出生	49	chūshēng	be born	生まれる	출생
△除了	47	chúle	except; besides	～を除き	~이 외에
○厨房	32	chúfáng	kitchen	厨房	주방
△穿过	50	chuānguò	go through	突っ切る	지나가다
△窗户	39	chuānghu	window	窓	창문
◇词汇	48	cíhuì	vocabulary	語彙	어휘
◇瓷	50	cí	china	磁器	자기
★辞	44	cí	quit one's job	辞職する	사직하다
△次	31	cì	*a measure word for train, airplane, etc.*	(量詞)列車、飛行機の番号等	순서
○从来	47	cónglái	from the past till the present	これまで	지금까지
△从前	53	cóngqián	once upon a time	以前	이전에
★脆	49	cuì	crisp	もろい	간단히
△错过	54	cuòguò	miss	逃す	기회를 놓치다
			D		
打工	55	dǎ gōng	do manual work	力仕事をする	아르바이트
△带动	50	dàidòng	cause something to function by supplying the motivating force or power	動かす、率いる	대동하다
△戴	37	dài	wear	身に付ける	입다
★单元	42	dānyuán	unit	単元	단원
△但是	42	dànshì	but	しかし	그러나
○淡	50	dàn	light	薄い	단조롭다
○当时	48	dāngshí	at that time	当時	당시
○挡	54	dǎng	keep off	阻む	막다
○到处	34	dàochù	everywhere	至る所	도처
△道理	46	dàoli	truth; hows and whys	道理	도리
△得	44	dé	gain; obtain	得る	얻다
○登	40	dēng	mount; ascend	登る	오르다
△等等	48	děng	and so on	～など	등등

○等于	44	děngyú	equal	等しい	같다
◇地道	43	dìdao	authentic	本場の	지하도
△地方	34	dìfang	place; part	場所	지방
○地区	37	dìqū	region	地区	지역
○地址	36	dìzhǐ	address	住所	주소
△第	35	dì	*used before integers to indicate order*	第	제(차례)
△点	35	diǎn	order	注文する	주문
点头	52	diǎn tóu	nod	うなずく	끄덕이다
○点心	55	diǎnxin	pastry	軽食	요기하다, 과자
△点着	41	diǎnzháo	light a fire	点火する	불을 붙이다
△淀粉	41	diànfěn	atarch	デンプン	전분
△掉	39	diào	drop	落ちる	떨구다
◇钉子	39	dīngzi	nail	くぎ	못
△动	49	dòng	move	動く	움직이다
△动物	37	dòngwù	animal	動物	동물
△读	36	dú	read	読む	읽다
○肚子	35	dùzi	belly	腹部	배
○端	50	duān	hold something level with both hands	両手で平らに持つ	잠시
△短	34	duǎn	short	短い	짧다
△段	54	duàn	segment	一区切り	구간
★对手	38	duìshǒu	opponent	相手	상대
△顿	53	dùn	*a measure word for meals, beatings, etc.*	(量詞)食事、叱責等	잠시
			E		
△儿子	52	érzi	son	息子	아들
△而且	43	érqiě	but also	その上	~또한
○耳朵	37	ěrduo	ear	耳	귀
			F		
○发达	34	fādá	developed	発達した	발달
△发生	36	fāshēng	happen	生じる	발생
△发现	32	fāxiàn	discover	発見する	발견하다
△发展	34	fāzhǎn	develope	発展する	발전
○反应	49	fǎnyìng	reaction	反応	반응
○犯	53	fàn	recurrence of (wrong or bad things)	犯す	위반하다
△饭店	45	fàndiàn	restaurant	飲食店	호텔
◇饭馆	35	fànguǎn	restaurant	料理店	식당
△方便	32	fāngbiàn	convinient	便利な	편리하다
方便面	35	fāngbiànmiàn	instant noodles	即席めん	사발면(라면)

○方式	46	fāngshì	ways and manners of behaviour	方式	방식
○房子	32	fángzi	house	家屋	집
★房租	32	fángzū	rent	部屋代	집세
△放	37	fàng	put	置く	놓다
△飞	39	fēi	fly	飛ぶ	날다
△飞机	31	fēijī	airplane	飛行機	비행기
○非…不可	53	fēi...bùkě	must	～しなければならない	~하지않으면 않된다.
△分	54	fēn	divide	分ける	나누다
○分别	54	fēnbié	seperately	別々に	분별하다
△…分之…	43	...fēnzhī...	percent	パーセント	백분율
△丰富	41	fēngfù	plenty	豊富な	풍부하다
△封	43	fēng	*a measure word for letters*	(量詞)手紙	통
△夫人	55	fūren	madam	夫人	부인
△服务	42	fúwù	serve; service	奉仕する	써비스
△服务员	35	fúwùyuán	waiter	服務員	종업원
○幅	40	fú	*a measure word for pictures, scrolls, etc.*	(量詞)絵画、巻物等	폭
△辅导	48	fǔdǎo	coach; tutor	指導する	지도하다
△父亲	31	fùqin	father	父親	아버지
△负责	55	fùzé	take charge in	責任を負う	책임지다
△复杂	54	fùzá	complicated	複雑な	복잡하다
○副	37	fù	*a measure word for glasses*	(量詞)眼鏡等	부
			G		
△该	37	gāi	should	～すべき	응당
△改变	46	gǎibiàn	change	変える	바꾸다
△敢	53	gǎn	dare	思い切って～する	용감하다
△感谢	33	gǎnxiè	thank; appreciate	感謝する	감사하다
△高	32	gāo	tall; high	高い	높다
◇高中	44	gāozhōng	senior middle school	高級中学	고등학교
○隔壁	39	gébì	next door	隣室	이웃
◇个子	33	gèzi	height	身長	키
△各	43	gè	each	おのおの	각
△跟	35	gēn	and	～と	~과
△跟	50	gēn	follow	後に従う	따라가다
★公道	35	gōngdào	fair	公正な	국도
公寓	32	gōngyù	apartment building	アパート	아파트
△公园	42	gōngyuán	garden	公園	공원
○共同	47	gòngtóng	common	共通の	공통
★沟通	53	gōutōng	communicate	つなぐ	통하다

△姑娘	54	gūniang	girl	女の子	아가씨
○古老	40	gǔlǎo	ancient	古代の	오래되다
○鼓励	36	gǔlì	encourage	励ます	격려하다
△挂	39	guà	hang	掛ける	걸다
○拐	39	guǎi	limp	足を引きずる	방향을 바꾸다
○怪	38	guài	blame	責める	이상하다
△关心	49	guānxīn	be concerned about	関心を持つ	관심
◇光临	45	guānglín	(Pol.) presence of a guest	ご来訪くださる	왕림하다
△广播	48	guǎngbō	broadcast	放送	방송하다
○广告	36	guǎnggào	advertisement	広告	광고
○锅	41	guō	pot	鍋	냄비
△国家	34	guójiā	country	国家	국가
△过	46	guò	*used after a verb to indicate a past action or state*	(動詞のあとに用い過去の動作や状態を示す)	지나다
△过来	45	guòlái	come over	来る	건너오다
△过去	36	guòqù	go over	行く	과거
			H		
△哈哈	53	hāhā	haha (laugh heartily)	ハハ(笑い声)	하하
△海边	51	hǎibiān	seaside	海辺	해변
△寒假	50	hánjià	winter holiday	冬休み	겨울방학
△行	40	háng	line; row	行、列	가다
★航班	31	hángbān	flight	便	운행표
△好处	32	hǎochù	benefit	利点	장점
△合适	32	héshì	suitable	適切な	적합하다
合影	47	héyǐng	group photo	団体写真	단체사진
◇河流	34	héliú	river	河川	하류
◇狠心	53	hěnxīn	cruel	残酷な	모질게 마음먹다
○后悔	40	hòuhuǐ	regret	後悔する	후회
○后来	44	hòulái	later	あとで	나중에
○厚	50	hòu	thick	厚い	두껍다
△忽然	50	hūrán	suddenly	突然	갑자기
○互相	43	hùxiāng	each other	互いに	서로
△化学	52	huàxué	chemistry	化学	화학
◇画家	44	huàjiā	painter	画家	화가
△话儿	55	huàr	message	言葉	이야기
◇话题	47	huàtí	topic	話題	화제
○坏处	54	huàichù	disadvantage	欠点	원밖, 나쁜점
△还	55	huán	return	返す	돌려주다
○环境	35	huánjìng	environment	環境	환경
○回	31	huí	return	戻る	돌아가다
△回答	52	huídá	answer	答える	회답
○回忆	47	huíyì	recall	思い出す	회상(회이)

△会	52	huì	meeting	会合	만나다
△会话	43	huìhuà	conversation	会話	회화
△活	46	huó	live	生きる	살다
△活动	36	huódòng	activity	活動	활동
○火	41	huǒ	fire	火	불
火锅	35	huǒguō	hotpot	火鍋	신선로
△或者	33	huòzhě	or	あるいは	혹은
			J		
○几乎	54	jīhū	almost	ほとんど	거의
△机场	31	jīchǎng	airport	飛行場	비행장
△机会	31	jīhuì	chance	機会	기회
△鸡蛋	41	jīdàn	egg	卵	달걀
○积极	36	jījí	active	積極的な	적극
△基本	43	jīběn	basic	基本的な	기본
○及格	52	jígé	pass a test	合格する	합격하다
○急忙	38	jímáng	in a hurry	大急ぎの	급하다
△计划	47	jìhuà	plan	計画	계획
○记得	52	jìde	remember	覚えている	기억하다
○既	53	jì	both and	～も	~할 뿐만 아니라
△加	41	jiā	add	加える	더하다
△加	44	jiā	plus	足す	더하다
◇加油	38	jiā yóu	cheer, (encourage sb. to) make an extra effort	頑張れ さらに努力する	힘내다
△家	35	jiā	*a measure word for enterprises, such as restaurant, bookstore etc.*	(量詞)飲食店、本屋等の企業	가정
★家常菜	41	jiāchángcài	home-made dishes	家庭料理	가정음식
★家长	52	jiāzhǎng	parent or guardian of a child	家長	가장
◇价钱	35	jiàqian	price	価格	가격
△坚持	44	jiānchí	insist	堅持する	버티다
★简化字	43	jiǎnhuàzì	simplified Chinese characters	簡化字	간체자
△健康	43	jiànkāng	healthy	健康な	건강
○渐渐	55	jiànjiàn	gradually	次第に	점점
○将	36	jiāng	be going to	まもなく～する	거느리다
△将来	43	jiānglái	future	将来	장래
△讲	45	jiǎng	tell	話す	이야기하다
○奖	44	jiǎng	prize	賞	상장
△交	43	jiāo	make (friends with)	交際する	사귀다
○交流	36	jiāoliú	communicate	交流する	교류
○郊区	36	jiāoqū	suburb	郊外	교외지역
○骄傲	52	jiāo'ào	proud	自惚れた	자부하다

△教	41	jiāo	teach	教える	가르치다
◇角度	46	jiǎodù	angle	角度	각도
★搅拌	41	jiǎobàn	mix; stir	混ぜる	썩다
△叫	53	jiào	let	～させる	외치다
△教育	48	jiàoyù	education	教育	교육
△接	31	jiē	meet	迎える	빌리다
○接到	55	jiēdào	receive	受け取る	받다
△接着	53	jiēzhe	follow (a speech or action)	続く(話や動作)	연이어
○街道	50	jiēdào	street	街路	길
△节目	48	jiémù	programm	演目	목록, 제목
◇洁白	50	jiébái	pure white	真っ白な	결백하다
△结果	37	jiéguǒ	result	結果	결과
○结论	54	jiélùn	conclusion	結論	결론
△结束	52	jiéshù	finish	終わる	끝나다
戒烟	46	jiè yān	quit smoking	禁煙する	금연하다
△今年	43	jīnnián	this year	今年	금년
△紧	53	jǐn	tight	窮屈な	죄다
△近	32	jìn	near	近い	가깝다
★近视	39	jìnshì	nearsighted	近視	근시
△进	31	jìn	enter	入る	들어가다
○进步	32	jìnbù	progress	進歩する	진보
△进行	43	jìnxíng	carry on/out	実行する	진행하다
△经常	35	jīngcháng	often	しばしば	자주
△经过	50	jīngguò	pass by	経る	경과하다
△经济	45	jīngjì	economical	経済	경제
○经历	54	jīnglì	experience	経験	경력
△经验	49	jīngyàn	experience	経験	경험
◇惊讶	50	jīngyà	surprised	仰天する	놀라다
△精彩	38	jīngcǎi	wonderful	見事な	화려하다
△精神	54	jīngshen	spirit	精神	정신
敬老院	40	jìnglǎoyuàn	home for the aged	老人ホーム	양노원
酒水	35	jiǔshuǐ	beverages	飲料	술
◇居民	42	jūmín	dweller	住民	주민
△橘子	37	júzi	orange	ミカン	귤
◇举办	36	jǔbàn	conduct	開催する	거행하다
巨龙	40	jùlóng	huge dragon	巨竜	큰용
△句	46	jù	*a measure word, used of language*	(量詞)ことば	구
△句子	48	jùzi	sentence	文	구절
◇聚	47	jù	get together	集まる	모이다
聚餐	53	jù cān	having a dinner party to celebrate something	会食する	회식하다
○决心	52	juéxīn	determination	決心	결심하다
◇均匀	41	jūnyún	well distributed	平均した	고르다

K					
△开	34	kāi	drive	運転する	운전하다
△开学	53	kāi xué	school open	始業する	개학하다
开张	35	kāizhāng	open	開業する	개장
△看见	31	kànjiàn	see	見る	보다
看中	42	kànzhòng	take a fancy to	気に入る	마음에 들다
★可口	41	kěkǒu	mouth watering	口に合う	맞있다
△克	41	kè	gram	グラム	그람
△哭	53	kū	cry	泣く	울다
★苦恼	48	kǔnǎo	vexed	苦悩	고민
△块	45	kuài	lump; piece	かたまり	조각
△块儿	41	kuàir	piece	かたまり	조각
○筷子	41	kuàizi	chopstick	箸	젓가락
L					
◇蜡烛	45	làzhú	candle	ロウソク	초
△辣	35	là	pungent	辛い	맵다
○来不及	39	láibují	there' s no enough time	間に合わない	여유가 없다
栏	36	lán	column	欄	난간
△篮球	36	lánqiú	basketball	バスケットボール	농구
○浪费	38	làngfèi	waste	浪費する	낭비하다
△劳驾	42	láo jià	excuse me	お手数ですが	실례합니다
★老家	51	lǎojiā	hometown	実家	고향
◇老婆	53	lǎopo	wife	妻	부인
烙饼	53	làobǐng	flapjack	こねた小麦粉をのばして焼いたもの	밀전병
○落	39	lào	fall	落ちる	떨어지다
△离	32	lí	away from	離れる	~로부터
△离开	47	líkāi	leave	離れる	떠나다
○里面	33	lǐmian	inside	内側	안에
○理想	44	lǐxiǎng	ideal	理想	이상
○厉害	38	lìhai	extremely good	ひどい	대단하다
○立	45	lì	erect	立つ	서다
△立刻	39	lìkè	at once	直ちに	금방
△利用	45	lìyòng	make use of	利用する	이용하다
△连…也	52	lián...yě	even	~でさえ	심지어
连着	51	liánzhe	in succession	連続して	이어서 연달아
△联系	33	liánxì	contact	連絡する	연락
△脸	53	liǎn	face	顔	얼굴
△练习	32	liànxí	practice; practise	練習する	연습
○凉	50	liáng	cool	冷たい	시원하다
△亮	47	liàng	light	明るい	밝다
◇量	48	liàng	quantity	数量	분량
○聊	47	liáo	chat	雑談する	이야기하다
△了	49	liǎo	*(used in conjunction with 得不, after a verb) can*	（動詞の後に得、不を伴い）~できる	마칠 료

○了不起	55	liǎobuqǐ	remarkble	素晴らしい	놀랍다
△了解	43	liǎojiě	understand	理解する	이해하다
○列	54	liè	list	入れる	목록
○临	54	lín	just before	～間際	이르다
△零	44	líng	zero	ゼロ	영
△留念	47	liúniàn	memento	記念に残す	기억에 남다
留下	46	liúxià	leave sb. (with impression)	（印象に）残る	남다
○流利	32	liúlì	fluent	滑らかな	유창하다
△乱	42	luàn	in disorder	乱れた	혼란하다
旅行社	51	lǚxíngshè	travel agency	旅行会社	여행사
			M		
△马	51	mǎ	horse	馬	말
△马上	36	mǎshàng	at once	直ちに	금방
△卖	55	mài	sell	売る	팔다
○馒头	53	mántou	steamed bread	マントウ	만두
△满	37	mǎn	full	満ちた	만
△满意	42	mǎnyì	satisfied	満足した	만족하다
★忙碌	49	mánglù	busy	忙しい	바쁘다
△毛	37	máo	feather	毛	털
○美丽	50	měilì	beautiful	美しい	아름답다
◇迷	54	mí	enchant	熱中する	심취하다
△米	33	mǐ	metre	メートル	쌀
★免费	35	miǎnfèi	free	無料にする	공짜
△面包	53	miànbāo	bread	パン	식빵
○面积	34	miànjī	area	面積	면적
○面前	54	miànqián	in the face of	面の前	면전
△民族	34	mínzú	ethnic group	民族	민족
○名胜古迹	34	míngshèng gǔjì	scenic spot and historical place	名所旧跡	명승고적
△明年	43	míngnián	next year	来年	명년(내년)
○摸	53	mō	touch	触る、撫でる	짚어 보다
◇陌生	47	mòshēng	strange	見知らぬ	생소하다
墨镜	37	mòjìng	sunglasses	サングラス	색안경
△母亲	31	mǔqin	mother	母親	어머니
母校	47	mǔxiào	Alma Mater	母校	모교
○目的地	50	mùdìdì	destination	目的地	목적지
			N		
△拿	36	ná	take	取る	잡다
○耐心	55	nàixīn	patient	我慢強い	인내심
△南	33	nán	south	南	남
△南边	42	nánbian	southside	南側	남쪽
难吃	49	nánchī	undelicious	まずい	맛없다
○难道	48	nándào	*used to reiterate a rhetorical question*	反語を強めるのに用いる	설마~하겠는가?
◇难得	51	nándé	hard or not possible to come by	めったにない	구하기 힘들다

○难过	43	nánguò	sad	悲しい	괴로워하다
○难受	46	nánshòu	feel uncomfortable	不快だ	불편하다, 괴롭다
△内容	48	nèiróng	content	内容	내용
△能够	47	nénggòu	can	できる	충분하다
○能力	49	nénglì	ability	能力	능력
△年级	44	niánjí	grade	学年	학년
△年纪	33	niánjì	age	年齢	나이
○鸟	40	niǎo	bird	鳥	새
△牛奶	53	niúnǎi	milk	牛乳	우유
牛排	45	niúpái	steak	ステーキ	소갈비
牛仔裤	33	niúzǎikù	jeans	ジーンズ	청바지
△农村	40	nóngcūn	village	農村	농촌
△农民	40	nóngmín	farmer	農民	농민
○弄	42	nòng	do; make	する	만들다
△女儿	53	nǚ'ér	daughter	娘	딸
○女士	35	nǚshì	lady	女史	여사
			O		
◇偶尔	35	ǒu'ěr	occasionally	たまに	가끔
			P		
△爬	38	pá	crawl	這う	오르다
○牌子	45	páizi	billboard for public notices	看板、商標	상표
○胖	37	pàng	fat	太った	살찌다
○陪	55	péi	accompany	伴をする	모시다
○捧	50	pěng	hold in both hands	両手で持つ	받들다
△碰	42	pèng	bump	ぶつかる	부딪치다
△批评	52	pīpíng	criticise	批判する	비평하다
○飘	50	piāo	float	たなびく	날리다
◇拼	50	pīn	join together	集める	합치다
○平	38	píng	even	平らな	평평하다
△苹果	37	píngguǒ	apple	リンゴ	사과
○普通	51	pǔtōng	ordinary	普通の	보통
◇普通话	48	pǔtōnghuà	Mandarin	現代中国の共通語	보통화
			Q		
◇其实	44	qíshí	actually	実際は	사실
○其他	44	qítā	other	そのた	기타
○奇怪	31	qíguài	strange	珍しい	이상하다
○启发	46	qǐfā	enlightenment	啓発	개발하다
★启事	33	qǐshì	notice	告示	알리다
◇起飞	31	qǐfēi	take off	離陸する	이륙하다
△起来	38	qǐlái	*used after verbs to indicate upward movement*	動作が下から上に向かう事	일어나다
○气	38	qì	air	気体	공기
△千	34	qiān	thousand	千	천
○千万	49	qiānwàn	make sure to	くれぐれも	천만

△墙	39	qiáng	wall	壁、塀	벽
○悄悄	55	qiāoqiāo	quietly	音もなく	조용히
○敲	54	qiāo	knock	叩く	두드리다
○切	41	qiē	slice; cut	切る	자르다
★亲密	55	qīnmì	intimate	親しい	친밀하다
◇亲热	47	qīnrè	affectionate	親しみあふれる	친하다
△青年	51	qīngnián	youth	青年	청년
△轻	39	qīng	light	軽い	가볍다
◇清晨	50	qīngchén	early morning	早朝	새벽
△清楚	39	qīngchu	clear	明確な	분명하다
△情况	48	qíngkuàng	situation	状況	상황
△晴	31	qíng	sunny	晴れた	개다
△取得	48	qǔdé	achieve	得る	획득하다
◇娶	54	qǔ	marry (a woman)	娶る	시집가다
△去年	43	qùnián	last year	去年	작년
★去世	52	qùshì	depart from this world	死ぬ	돌아가시다
○缺课	52	quē kè	be absent from class	授業を欠席する	결석하다
○群	55	qún	group	群れ	군중
			R		
○人家	45	rénjia	other person	他の人	다른 사람들
○人口	34	rénkǒu	population	人口	인구
△人们	34	rénmen	people	人々	사람들
★人生	49	rénshēng	life	人生	인생
○忍 忍不住	45	rěn rěnbuzhù	endure can't help doing	耐える 我慢できない	참다 참지 못 하다
△认为	42	rènwéi	consider	～と思う	생각에
△认真	50	rènzhēn	serious	真剣な	진지하다
△任何	46	rènhé	any; whatever	いかなる	어떤한
○扔	38	rēng	throw	投げる	던지다
○仍然	54	réngrán	still	依然と	여전히
○日记	31	rìjì	diary	日記	일기
△日子	47	rìzi	day; date	日、期日	날짜
△肉	45	ròu	meat	肉	고기
			S		
◇塞	37	sāi	fill in	塞ぐ	집어넣다
三三两两	50	sānsān-liǎngliǎng	in or by twos and threes	二、三人ずつ	둘씩셋씩
○傻	47	shǎ	foolish	愚かな	어리석다
○晒	51	shài	shine upon	日が照る	햇볕을 쬐다
△山	40	shān	mountain	山	산
◇山峰	40	shānfēng	mountain peak	山の峰	산봉우리
△上	45	shàng	serve; lay dishes on the table	料理を並べる	올리다
○上班	34	shàng bān	go to work	出勤する	출근

△上去	38	shàngqù	upward (there)	上に向かう	올라가다
△上学	34	shàng xué	go to school	登校する	등교
★捎	55	shāo	take along something to or for somebody	ついでに持って行く	가는 길에 전하다
○稍等	45	shāo děng	wait a minute	少し待つ	잠시 기다리다
△社会	48	shèhuì	society	社会	사회
○射门	38	shè mén	shoot (at the goal)	シュートする	쏘다
○深刻	46	shēnkè	deep	深い	깊다
◇深夜	55	shēnyè	late at night	深夜	심야
○生意	55	shēngyi	business	商売	사업
△声音	53	shēngyīn	sound; voice	声、音	소리
○省	51	shěng	province	省	성
△胜利	38	shènglì	win; victory	勝利する	승리하다
○失败	46	shībài	fail	失敗する	실패하다
石块儿	50	shíkuàir	lump of stone	石塊	조각 돌
◇实话	47	shíhuà	truth	本当の事	실화
★实惠	45	shíhuì	substantial	実利	실속있다
△实现	44	shíxiàn	accomplish	実現する	실현하다
○实行	51	shíxíng	carry out	実行する	실행
○拾	33	shí	pick	拾う	줍다
○食物	37	shíwù	food	食べ物	식물
食指	40	shízhǐ	index finger	人差し指	식지
△事情	46	shìqing	affair; matter	事柄	사정
△收到	43	shōudào	receive	受け取る	받다
○手续	36	shǒuxù	formality	手続き	수속
受罪	46	shòu zuì	suffer	ひどい目にあう	고생하다
△输	38	shū	lose	負ける	지다
△熟	41	shóu	cooked	煮える	익다
○熟悉	53	shúxī	familiar	熟知する	익숙하다
○暑假	47	shǔjià	summer vocation	夏休み	여름방학
△数学	38	shùxué	mathetics	数学	수학
○摔	39	shuāi	tumble	転ぶ	넘어지다
双胞胎	55	shuāngbāotāi	twins	双子	쌍둥이
水房	39	shuǐfáng	washing room	洗濯所	목욕실
△水果	37	shuǐguǒ	fruit	果物	과일
△水平	32	shuǐpíng	level	水準	수준
★顺序	42	shùnxù	sequence	順序	순서
○司机	55	sījī	driver	運転手	운전자
○丝	45	sī	thread-like thing	糸状の物	가는 실
★四肢	37	sìzhī	four limbs	四肢	사지
◇似的	53	shìde	as if	のようだ	~과 같다
○似乎	47	sìhū	it seems	~らしい	~같다
△酸	37	suān	sour	酸っぱい	산
△算	35	suàn	be considered	~と見なす	계산
△算	44	suàn	count	数える	계산하다

○算了	46	suànle	forget it	忘れる	그만두다
△虽然	42	suīrán	although	～だけれども	설령~일지라도
○所	40	suǒ	*a measure word for houses, schools, buildings, etc.*	(量詞)家、学校、建物等	소
△所有	54	suǒyǒu	all	あらゆる	모두
			T		
◇踏	50	tà	tread	踏む	디디다
台词	48	táicí	uttering of a stage character	せりふ	대사
△态度	35	tàidù	attitude	態度	태도
○谈话	52	tán huà	talk	談話する	담화
△汤	45	tāng	soup	スープ	탕(국)
△讨论	47	tǎolùn	discuss	討論する	토론하다
△套	32	tào	*a measure word, used of series or sets of things*	(量詞)同類、セットのもの	덧씌우개, 덮개
○特点	41	tèdiǎn	characteristic	特徴	특점
△踢	38	tī	kick	蹴る	차다
△提高	43	tígāo	improve	高める	높이다
△体育	36	tǐyù	physical training	体育	체육
○体育馆	47	tǐyùguǎn	gymnasium	体育館	체육관
○替	55	tì	instead of	代わる	대신
△条件	42	tiáojiàn	condition	条件	조건
△跳	39	tiào	jump	跳ぶ	뛰다
○贴	36	tiē	paste	貼る	붙이다
△听见	38	tīngjiàn	hear	聞こえる	듣다
听力	48	tīnglì	listening comprehension	聞き取り能力	듣기능력
○停止	44	tíngzhǐ	cease	止まる	멈추다
△通知	36	tōngzhī	notice	通知	통지
△同意	44	tóngyì	agree	同意する	동의하다
△同志	33	tóngzhì	comrade	仲間	동지
△痛快	47	tòngkuài	to one’s satisfaction	痛快な	통쾌하다
△头儿	46	tóur	top; end	先端、端	우두머리
○头发	33	tóufa	hair	頭髪	머리카락
△突然	39	tūrán	suddenly	突然の	갑짜기
★团圆	51	tuányuán	reunion	団欒	단원
△推	38	tuī	push	押す	밀다
★推销员	51	tuīxiāoyuán	salesman	セールスマン	판촉사원
△腿	39	tuǐ	leg	足	다리
△脱	39	tuō	take off	脱ぐ	벗다
T恤衫	40	T-xùshān	T-shirt	Tシャツ	티셔츠
			W		
△外国	51	wàiguó	foreign country	外国	외국

外号	53	wàihào	nickname	あだ名	별명
○外面	32	wàimian	outside	外見	밖에
◇外衣	45	wàiyī	coat	コート	코트
△外语	52	wàiyǔ	foreign language	外国語	외국어
△完全	48	wánquán	completely	完全に	전부
△玩笑 开玩笑	52	wánxiào kāi wánxiào	joke make joke	冗談 冗談を言う	농담하다
晚点	31	wǎndiǎn	late; behind schedule	遅れる、遅延する	연착하다
△碗	49	wǎn	bowl	おわん	그릇
△万	46	wàn	ten thousand	万	만
△往	39	wǎng	towards	～の方へ	~로 향하다
△危险	39	wēixiǎn	dangerous	危険な	위험하다
○围	36	wéi	surround	囲む	주변
◇维生素	37	wéishēngsù	vatamin	ビタミン	비타민
○尾巴	46	wěiba	tail	尾	꼬리
卫生间	32	wèishēngjiān	toilet	洗面所	화장실
△为了	36	wèile	in order to	～のために	~을 위해
○未来	49	wèilái	future	未来	미래
△位	35	wèi	*a measure word for people (to show respect)*	(量詞)人数を数える	자리
◇味儿 有味儿	49	wèir yǒu wèir	odour smell	におい 香り	맛
○温暖	50	wēnnuǎn	warm	暖かい	따뜻하다
△文化	43	wénhuà	culture	文化	문화
○闻	41	wén	smell	嗅ぐ	냄새를 맡다
◇蚊子	39	wénzi	mosquito	蚊	모기
△问好	47	wèn hǎo	say hello to	よろしく言う	안부를 묻다
◇卧	40	wò	lie	横たわる	웅크리다
△握手	47	wò shǒu	shake one’s hands	握手する	악수하다
乌龟	38	wūguī	tortoise	カメ	거북이
△屋子	53	wūzi	room	部屋	방
△午饭	45	wǔfàn	lunch	昼食	점심식사
★物	33	wù	thing	物	물건
△物理	52	wùlǐ	physics	物理	물리
			X		
○西红柿	41	xīhóngshì	tomato	トマト	토마토
稀饭	49	xīfàn	porridge	粥	죽
△洗澡	38	xǐ zǎo	take a bath	入浴する	목욕
△细	46	xì	thin	細い	얇다
○下班	34	xià bān	get off work	退社する	퇴근
△下来	38	xiàlái	downward (here); get off	下方へ降りる	내려가다
下棋	42	xià qí	play chess	将棋を指す	장기를 두다

△先生	42	xiānsheng	mister	～氏	선생
◇咸	41	xián	salted	塩辛い	짜다
◇嫌	49	xián	complain of	嫌う	의심
○羡慕	51	xiànmù	admire	うらやむ	부러워하다
相处	55	xiāngchǔ	get along with	付き合う	함께살다
△相信	54	xiāngxìn	believe	信じる	믿다
△香	41	xiāng	appetizing	美味しい	향기롭다
△香蕉	46	xiāngjiāo	banana	バナナ	바나나
○箱子	42	xiāngzi	box	箱	상자
○享受	49	xiǎngshòu	enjoy	享受する	즐기다
△响	38	xiǎng	ring	鳴らす	소리
○想法	46	xiǎngfa	idea; opinion	考え方	방법을 생각하다
△像	34	xiàng	resemble	似ている	본뜬형상
小区	42	xiǎoqū	residential compound	集合住宅地区	주거지
小声	53	xiǎoshēng	unloudly	小声で	작은소리
○小心	42	xiǎoxīn	be careful	用心する	조심
★校园	55	xiàoyuán	campus	キャンパス	교정
△笑	40	xiào	laugh; smile	笑う	웃다
△心	45	xīn	heart	心	심장
△辛苦	42	xīnkǔ	laborious	辛い	수고하다
△新闻	48	xīnwén	news	ニュース	뉴스
○醒	38	xǐng	awaken	目覚める	일어나다
○姓名	42	xìngmíng	full name	姓名	성명
○性格	52	xìnggé	temperament	性格	성격
○雄伟	40	xióngwěi	grand	雄大な	웅장하다
○熊猫	37	xióngmāo	panda	パンダ	펜더
○选择	54	xuǎnzé	choose; choice	選択する	선택하다
学生证	36	xuéshēngzhèng	student’ ID	学生証	학생증
△学院	36	xuéyuàn	college	単科大学	학원
◇寻	33	xún	look for	探す	찾다
○迅速	41	xùnsù	rapid	迅速な	신속히
			Y		
◇牙齿	49	yáchǐ	tooth	歯	치아
○延长	43	yáncháng	prolong	延長する	연장하다
★延伸	40	yánshēn	extend	伸ばす	내밀다
○严肃	55	yánsù	strict	厳粛な	엄숙
△研究	54	yánjiū	research	研究する	연구하다
○盐	41	yán	salt	塩	소금
△眼睛	33	yǎnjing	eye	目	눈
○眼圈	37	yǎnquān	rim of the eye	目の縁	눈동자
△演出	48	yǎnchū	perform for an audience	上演する	연출
○演员	48	yǎnyuán	actor	俳優	연기자
△宴会	53	yànhuì	banquet	宴会	연회
△羊	45	yáng	sheep; goat	羊、山羊	양

○阳光	40	yángguāng	sunlight	日光	양광
△样子	33	yàngzi	appearance	見かけ	모양
○咬	49	yǎo	bite	かむ	(개)물다
△一块儿	38	yíkuàir	together	一緒に	같이
△一切	43	yíqiè	all; everything	すべて	전부
△一下子	39	yíxiàzi	all at once	すぐに	순식간에
△一样	34	yíyàng	same; as…as	同じ	같다
△一边	47	yìbiān	while	一方で	한편으로
△一些	35	yìxiē	some	幾つかの	약간
咦	50	yí	well (expressing surprise)	おや（驚きの声）	(감탄사)아이
△以前	32	yǐqián	before	以前	이전
△以外	51	yǐwài	beyond	以外	~이외에
△以为	44	yǐwéi	take for granted	～と思う	생각하다
△椅子	55	yǐzi	chair	イス	의자
△亿	34	yì	hundred million	億	억
△艺术	48	yìshù	art	芸術	예술
△阴	31	yīn	overcast	曇った	흐리다
△银行	32	yínháng	bank	銀行	은행
○印象	46	yìnxiàng	impression	印象	인상
○营养	41	yíngyǎng	nutrition	栄養	영양
△赢	38	yíng	win	勝つ	이기다
◇犹豫	54	yóuyù	be hesitated	ためらう	망설이다
○油	41	yóu	oil	油	기름
○游览	44	yóulǎn	go sightseeing	遊覧する	요람하다
△游戏	40	yóuxì	game	遊び	오락
△右	40	yòu	right	右	좌(오른쪽)
◇幼儿园	40	yòu'éryuán	nursey school	幼稚園	유치원
○于是	53	yúshì	then	そこで	그래서
△愉快	47	yúkuài	joyful	愉快な	유쾌하다
与…无关	44	yǔ...wúguān	have nothing to do with	～と関係ない	~과 상관없다
△遇到	31	yùdào	come across	出会う	만다나
△原来	32	yuánlái	it turns out to be	もともと～だ	원래
△原谅	43	yuánliàng	forgive	許す	용서하다
○原料	41	yuánliào	raw materials	原料	원료
△远	32	yuǎn	far	遠い	멀다
◇愿	50	yuàn	be willing	望む	소원
○愿望	51	yuànwàng	wish	願望	바라다
△愿意	52	yuànyì	be willing to	～したい	원하다
○约	47	yuē	make an appointment	約束する	약속하다
○越来越	43	yuèláiyuè	more and more	ますます	더욱더
△云	40	yún	cloud	雲	구름
△运动	36	yùndòng	sports	運動	운동

Z					
◇再说	37	zàishuō	furthetmore	その上	다시말해
○暂时	44	zànshí	for the time being	暫時の	잠시
△增加	48	zēngjiā	increase	増加する	증가하다
扎啤	45	zhāpí	draught beer	生ビール	생맥주
◇炸	45	zhá	fry in deep oil	揚げる	튀기다
△站	40	zhàn	stand up	立つ	(서다)
△站	42	zhàn	station	駅	역
△长	33	zhǎng	grow	成長する	크다
△照顾	49	zhàogù	take care of	世話をする	돌보다
△照相	47	zhào xiàng	take pictures	撮影する	사진찍다
○哲学	54	zhéxué	philosophy	哲学	철학
○哲学家	54	zhéxuéjiā	philosopher	哲学者	철학가
◇者	33	zhě	-or; -er	～者	자
△真正	55	zhēnzhèng	genuine	本物の	진정
○阵	50	zhèn	*a measure word for something that happens abruptly and lasts a short time*	(量詞)一区切りの時間、現象、動作	짧은시간, 잠시동안
正点	31	zhèngdiǎn	on schedule	定刻	정시
○正好	44	zhènghǎo	just right	ちょうど	딱좋다
△政府	51	zhèngfǔ	government	政府	정부
△政治	48	zhèngzhì	politic	政治	정치
△只	39	zhī	*a measure word for certain animals, boats or utensils*	(量詞)動物、船、器具	단지
△枝	33	zhī	*a measure word for long thin inflexible objects*	(量詞)棒状のもの	버티다, 받치다
△知识	48	zhīshi	knowledge	知識	지식
○只要	44	zhǐyào	so long as	～しさえすれば	~하기만 하면
○只有…才	51	zhǐyǒu...cái	only if	～して初めて	~해야만 ~한다
△纸	42	zhǐ	paper	紙	종이
○制定	51	zhìdìng	work out	制定する	제정
○制度	51	zhìdù	system	制度	제도
○中餐	43	zhōngcān	Chinese food	中国料理	중국음식
中介所	32	zhōngjièsuǒ	intermediary	仲介所	중개소
中指	40	zhōngzhǐ	middle finger	中指	중지
△种	46	zhǒng	kind; type	種類	종류
◇种类	34	zhǒnglèi	kind; type	種類	종류
△重	42	zhòng	heavy	重い	무겁다
重病	54	zhòngbìng	be seriously ill	重病	중병
○周到	45	zhōudào	considerate	行き届く	꼼꼼하다
△周围	32	zhōuwéi	surrounding	周り	주위

△猪	45	zhū	pig	豚	돼지
○竹子	37	zhúzi	bamboo	竹	대나무
△主任	53	zhǔrèn	head; chairman	主任	주인
△主要	32	zhǔyào	main; major	主要な	주요
○煮	35	zhǔ	boil	煮る、炊く、茹でる	끓이다
△注意	32	zhùyì	keep an eye on	注意する	주의
○祝贺	44	zhùhè	congratulate	祝う	축하하다
○专门	44	zhuānmén	especially	特に	전문
○转	31	zhuǎn	turn; change	(方向等を)変える	돌다
转身	50	zhuǎn shēn	turn around	体の向きを変える	몸을돌리다
转眼	43	zhuǎnyǎn	in the blink of an eye	瞬く間に	눈을 돌리다
★壮观	34	zhuàngguān	magnificent sight	壮観	장관
△桌子	42	zhuōzi	table	テーブル	책상
○仔细	50	zǐxì	careful	注意深い	세밀하다
△自己	45	zìjǐ	self	自分	자기
△总是	46	zǒngshì	always	いつも	항상
◇走散	33	zǒusàn	get lost; stray	逸れる	흩어지다
△组织	36	zǔzhī	organize	組織する	조직
△最后	41	zuìhòu	at last; final	最後	마지막
○左右	33	zuǒyòu	or so	～位	안팎
○作为	47	zuòwéi	as	～とする	~로 여기다
○作用	52	zuòyòng	effect	作用	작용하다
○坐位	45	zuòwèi	seat	座席	자리
○做法	41	zuòfǎ	way of handling	やり方	만드는 법